Reyes Pujol-Xicoy
Fotografías: David Manchón

PINTURA DECORATIVA DE PAREDES

DE PAREDES

para principiantes

KÖNEMANN

© 2006 de la edición en castellano: Tandem Verlag GmbH
KÖNEMANN is a trademark and an imprint of Tandem Verlag GmbH

Autora:

Reyes Pujol-Xicoy

Redacción:

Rosa Tamarit

Fotografías:

David Manchón

Diseño y maquetación:

David Maynar

Printed in Slovenia

ISBN 3-8331-1754-0

10 9 8 7 6 5 4 3 2 1
X IX VIII VII VI V IV III II I

Introducción

La pintura decorativa es la mejor manera de transformar un espacio delimitado por cuatro paredes en un ambiente con personalidad. Sin necesidad de ser un gran artista, y con los materiales y técnicas que hallará descritos en este libro, usted mismo puede conferir a sus habitaciones un aspecto totalmente distinto, engrandeciéndolas visualmente, o modificando su luminosidad o la textura de sus muros. Teniendo en cuenta hasta qué punto puede cambiar el aspecto de nuestra casa con sólo pintarla de la manera más acorde a nuestro estilo, la pintura decorativa resulta ser, además, uno de los recursos más económicos que tenemos al alcance.

¿Qué es lo que necesita? Unos materiales que le serán indicados en cada caso y que son muy fáciles de encontrar: pinceles, trapos, esponjas... y muchas ganas de ponerse manos a la obra.

No tenga miedo a "enfrentarse" a una pared en blanco: piense que, si el resultado no es de su agrado, no tiene más que repintar encima y considerar el tiempo empleado como una oportunidad para practicar.

Desde aquí le invito a que siga nuestras sugerencias y se anime a decorar su casa con cualquiera de las técnicas que le proponemos.

En este libro le explicaremos cuáles son los materiales y herramientas que usted necesitará y cómo emplearlos correctamente.

Le daremos trucos y consejos que harán su tarea más sencilla y agradable a la hora de preparar las superficies y le guiaremos en la elección de los colores más adecuados a su estilo y a las condiciones de luz y espacio de su vivienda. Todo ello, de forma muy sencilla y práctica.

¿Qué es la pintura decorativa?

Cuando se quiere definir la pintura decorativa –y para ello parece bastante natural intentar diferenciarla de la artística–, uno se aventura en un terreno intrincado y resbaladizo, ya que habría que establecer con qué criterio se distingue el Arte de todo aquello que, por lo visto, no merece ser escrito con mayúscula.

¿Dónde está situada la frontera?

En nuestros museos hay murales maravillosos que, en su día, fueron creados con fines meramente decorativos, como los de Pompeya; sin embargo, a los "artistas" contemporáneos, la palabra decorativo les resulta un adjetivo poco grato.

Quien, como yo, haya cultivado ambas facetas, se habrá dado cuenta de que, en realidad, esa frontera no está nada clara: cualquier idea que queramos plasmar en un lienzo requerirá inevitablemente una base material y unas técnicas idénticas a las que se emplean para decorar una pared; del mismo modo, en cualquier pared decorada manualmente hallaremos indicios que nos dirán algo sobre la sensibilidad de quien lo hizo –aquello que en Arte se denomina el aura del artista–.

La diferencia hay que buscarla tal vez en las pretensiones. Es obvio que la pintura mural sirve para proteger las superficies de la intemperie y del desgaste. Nació humilde, supeditada a la arquitectura, y quizá no aspiraba a ir más lejos.

Pero aunque no sea algo intencional, tanto para el hombre que dejó la huella de sus manos en una caverna como para el lector o lectora que se ha sentido atraído por este libro con la primera idea de decorar su casa, la pintura representa un medio para humanizar su entorno.

En ambos casos se plasma un deseo: diferenciarse; dejar constancia de la presencia de un alma humana en un espacio que quizá, de lo contrario, resultaría bastante anodino.

La pintura decorativa nos permite modificar nuestro hábitat y hacer que éste se adapte a nuestra personalidad. Es una manera sencilla de hacer nuestra vida más agradable, a la vez que una excelente excusa para que todas aquellas personas que hasta ahora se habían sentido cohibidas por el Arte en mayúsculas cojan un pincel y den rienda suelta a su imaginación.

Reyes Pujol-Xicoy

I. Materiales

I. Materiales

Muchos de los materiales necesarios para llevar a cabo las propuestas de pintura decorativa de este libro son los mismos que se utilizan en la pintura convencional: brochas y paletinas de diferentes tamaños, pinceles, rodillo, papel de lija, pintura plástica, masilla y espátula para reparar grietas... Probablemente usted ya disponga de la mayoría de estas herramientas y materiales; de lo contrario, los podrá encontrar en cualquier droguería.

Además, para conseguir algunos de los efectos decorativos que le explicamos, puede necesitar también otros elementos, cuyo uso sobre la pared húmeda proporciona diferentes acabados y texturas, como esponjas, plumas, trapos o papeles.

Sólo en ciertos casos es necesario acudir a tiendas especializadas en bellas artes para proveerse de pinceles finos, o a comercios especializados para comprar pinceles o herramientas concretas, como brochas de pelo de tejón, veteadores o peines.

Aunque mucha gente opina que las herramientas especiales se pueden improvisar, lo más probable es que el resultado nunca acabe de ser el mismo.

Materiales básicos: pinceles y brochas

Las brochas y pinceles de calidad están constituidos por un mango de madera dura, recubierta de barniz resistente, y un manojo de cerdas sólidamente unidas por una pieza metálica antióxido denominada virola.

Las brochas son pinceles de gran tamaño; tienen sección circular y sus cerdas están dispuestas en forma de corona. Se clasifican según su diámetro, que suele estar indicado en la virola o en el mango. Las brochas de sección plana, propiamente llamadas paletinas, se clasifican según su anchura. Las paletinas son probablemente las herramientas más versátiles y necesarias a la hora de pintar, ya que se emplean tanto para extender los fondos como la capa superior de pintura, antes de proceder a su tratamiento decorativo. Las paletinas también se usarán para barnizar.

Puede empezar con sólo cuatro paletinas de distintos anchos; por ejemplo, 100 mm (4"), 50 mm (2"), 25 mm (1") y 13 mm (1/2"). Y, a medida que lo vaya necesitando, invierta en pinceles especiales.

Si se tiene previsto trabajar tanto con bases acrílicas como con bases al aceite, es aconsejable tener un lote de pinceles para cada medio.

Las paletinas, de uso muy general en decoración, suelen perder algo de pelo cuando son nuevas. Para minimizar este inconveniente, pase repetidamente las cerdas por la palma de la mano antes de utilizarlas por primera vez, con el fin de desprender los pelos más flojos. A continuación, póngalas en remojo durante un día, sin que las cerdas toquen el fondo del bote, para que se reblandezcan.

Le recomiendo que compre siempre pinceles de buena calidad. Si es cuidadoso con su limpieza, le durarán muchos años y el resultado será mucho más profesional que el obtenido con herramientas baratas, que siempre sueltan pelo y dejan marcas.

Rodillos

En los últimos años se ha popularizado el uso de los rodillos como alternativa a las brochas, y actualmente los hay para multitud de aplicaciones. A nosotros nos resultarán muy cómodos para cubrir grandes superficies con pintura de fondo, ya que proporcionan resultados regulares y uniformes con relativa facilidad de uso.

El rodillo suele estar compuesto por una varilla metálica y un cilindro intercambiable, de diferentes medidas y materiales. Los más adecuados para pintar con pintura plástica son los de lana, ya que permiten cargar una buena cantidad de pintura sin que gotee. Para trabajar con esmalte, en cambio, son preferibles los de pelo corto.

Cada rodillo va aparejado a una cubeta con rejilla, sobre la que se debe escurrir. A algunos se les puede acoplar un alargador para pintar a gran altura.

Otros materiales básicos

En el caso de que deba reparar grietas o agujeros de la pared, necesitará masilla plástica, ya sea en polvo o lista para su uso, una espátula y papel de lija.

Existen diferentes calidades de papel de lija, siendo la clasificación más habitual la que considera el grosor de su grano.

Esta gradación, que permite abarcar desde los lijados más bastos hasta los extra finos, está generalmente expresada con una nomenclatura numérica en el dorso del papel.

Los papeles negros permiten lijar en húmedo, con lo cual se obtienen acabados muy lisos y sin presencia de polvo. Son los más adecuados para usar sobre barniz, mientras que los verdes van muy bien para alisar las rebabas del enlucido sobre la pared seca.

Finalmente, también se diferencian por la resistencia del soporte: sólo los más fuertes y flexibles pueden ser empleados con lijadoras eléctricas, ya que no se rompen. La manera habitual de utilizar el papel de lija es envolviendo con él un taco de madera que quepa en nuestra mano y pasarlo sobre la superficie como si se tratara de un borrador. Las modernas esponjas lijadoras, comercializadas en grano fino, mediano o grueso, se utilizan de igual modo y resultan muy cómodas.

Otros elementos muy útiles a la hora de pintar son las cintas adhesivas de pintor, disponibles

en distintos anchos, los guantes de goma, mascarillas de papel o fibra, trapos, papeles de periódico, plásticos para cubrir muebles, botes y cubetas de distintos tamaños, así como destornilladores y alicates y una escalera que le permita una buena sujeción.

En casos concretos, también se necesitará un nivel de burbuja y una plomada.

Materiales de la pintura decorativa

Además de compartir la mayoría de herramientas y materiales con la pintura convencional, la pintura decorativa puede requerir, para algunos de los procedimientos descritos en este libro, unas herramientas específicas. Algunos de los materiales se han incorporado a la caja de herramientas del pintor decorativo después de experimentar con ellos y descubrir sus posibilidades para recrear un efecto decorativo determinado. Otros son pinceles especialmente diseñados para un uso concreto.

Pinceles especiales

Aparte de distinguirse por el tamaño, los pinceles se diferencian ulteriormente por el material del que están constituidas las cerdas (generalmente pelo animal), por la forma de la virola (plana o redonda) y por la disposición y longitud de las cerdas. Esta gran diversidad responde a la infinidad de efectos y texturas que pueden crearse con los distintos tipos de pincel.

Del mismo modo que a nadie se le ocurriría pintar detalles pequeños con una paletina ancha, sería absurdo dar una capa de fondo con una brocha de pelo fino, adecuada para difuminar e igualar colores.

Es importante usar los pinceles más adecuados a cada uso, tanto en lo relativo a su forma y material como a su tamaño.

Unidor de pelo de tejón

Es un pincel formado por manojos de pelos de tejón. Debido a la suavidad de sus cerdas, difumina perfectamente los bordes pronunciados del veteado y matiza las pinceladas en técnicas como el falso mármol. Es un pincel caro, que hay que limpiar cuidadosamente.

Paletina canaria o difuminador de pelo de cerdo

Es una herramienta muy versátil, ancha y de cerdas no muy largas. Se utiliza para difuminar la pintura con base al aceite en algunos procedimientos como, por ejemplo, el falso estuco.

Azotador de crin de caballo

Es una brocha recta, con cerdas muy largas y gruesas, sujetas por un mango de madera o una virola metálica. Con esta brocha, también llamada batidor, se golpea la superficie húmeda, consiguiendo imitar el poro de la madera, o creando una textura rayada muy característica.

Perrillo dentado

Su aspecto es el de una hilera de pinceles finos. Resulta muy útil para imitar el veteado de la madera u otros materiales como la rafia.

Moteadores

Generalmente, carecen de mango. Pueden ser rectos u ondulados, y se emplean principalmente para reproducir el grano característico del arce o la caoba. Se utilizan con un ligero movimiento en zigzag.

Brocha punteadora

Tiene el aspecto de un cepillo, con las cerdas cortadas exactamente a la misma altura. Se usa —siempre perpendicularmente y ejerciendo una presión ligera y uniforme sobre la superficie— para puntear y producir un efecto de pátina de viejo.

Pinceles de estarcir

Se caracterizan por su mango corto y sus cerdas también cortas, espesas y cortadas a la misma altura. Se emplean para pintar con plantillas, mediante movimientos circulares o de picado.

Pincel biselado

Tiene las cerdas cortadas al bies y resulta muy útil para trazar líneas de precisión, realizar sombreados o pintar molduras.

Pinceles finos

Se utilizan para perfilar los detalles más pequeños. Aunque los mejores son los de pelo de marta, pueden ser sustituidos por otros más económicos de otro pelo animal.

Abanico

Es un pincel extremadamente delicado, con cerdas muy espaciadas. Se utiliza para difuminar los detalles más sutiles y para crear un veteado característico.

Otras herramientas y materiales

Rodillo estriado

Está formado por multitud de discos con muescas que giran libremente y dejan sobre la superficie una huella discontinua, parecida a la veta de ciertas maderas.

Salpicador

Tiene el pelo de caucho, largo y muy recio. Es tal vez la única herramienta que no toca la superficie, ya que se emplea para cargar pintura y lanzarla en forma de gotitas. Resulta muy útil para imitar el aspecto moteado propio de algunas piedras y mármoles.

Peines

Son de acero flexible, con púas paralelas y cuadradas. Los peines gruesos se suelen emplear para imitar las venas gruesas y rectas de ciertas maderas, mientras que los más finos sirven para romper el veteado. También permiten obtener un acabado ligeramente en relieve sobre materiales aún frescos.

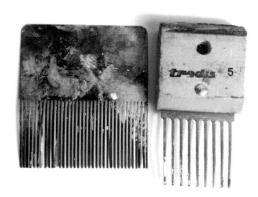

Veteador de caucho

En diferentes anchos (75 y 125 mm), resulta una herramienta muy cómoda para imitar los nudos de la madera, para lo cual se desliza a la vez que se balancea. Sin aplicarle este último movimiento, se dibujan vetas rectas.

Perrillo sin mango

Es un pincel a base de cerdas agrupadas. Se emplea para imitar la veta de la madera.

Plumas

Se emplean, como alternativa a los pinceles finos de acuarela, para imitar las vetas del mármol. Las plumas proporcionan unos trazos algo aleatorios, muy parecidos al veteado de este material.

Esponjas

Las más recomendables son las naturales, ya que las sintéticas son muy rígidas y tienen una forma y textura excesivamente regular. Se emplean para realizar esponjados. Para facilitar el trabajo, es aconsejable disponer de una esponja grande, para cubrir la superficie rápidamente, y otra pequeña para las esquinas.

Trapos

Otras técnicas aprovechan las huellas que dejan los trapos de algodón o gasa cuando se frota con ellos la pintura aún fresca.

Es muy conveniente tener trapos a mano, aunque no se tenga la intención de realizar un drapeado, ya que sirven tanto para limpiar salpicaduras como para secar las herramientas.

Algunas de las técnicas descritas, como el azotado o el drapeado, si se llevan a cabo con otros materiales, pueden proporcionar unos resultados interesantes y muy diferentes de los que obtendría siguiendo estrictamente nuestras instrucciones. Le invito a que experimente con elementos de uso común, como estropajos, papel de cocina, bolsas de plástico u otros que se le puedan ocurrir.

Algunos efectos decorativos pueden conseguirse mediante procedimientos y herramientas diferentes. Otros admiten ligeras variantes: así, por ejemplo, para imitar el veteado del mármol podemos utilizar pinceles de acuarela o bien plumas de ave.

Pinturas

Aún hoy perviven las fórmulas del temple al huevo, de la caseína (principal ingrediente de la leche) o de la pintura con aglutinante de cola de conejo, junto con otras modernas a base de resinas sintéticas.

Junto a los tres componentes citados, que son el disolvente (agua, en este caso), los pigmentos y el aglutinante, es frecuente encontrar también la carga, por lo general consistente en caolín, mica o talco, que tiene como funciones mejorar la adhesión, la opacidad o la resistencia al cuarteado.

También tiene, sobre todo, una finalidad de relleno, ya que, al reemplazar parte de pigmento y resinas, abarata el coste de la pintura.

Le recomiendo que sea cauto con los productos de precio muy bajo. Es probable que las pinturas muy baratas contengan escasa cantidad de pigmento y le resulte muy difícil obtener tintas saturadas.

La veladura

Es una preparación semitransparente de consistencia ligera y de secado lento. Al estar teñida, modifica el tono del fondo sobre el que se aplica, a la vez que ofrece un margen de tiempo suficiente para manipular la superficie antes de que ésta se seque y así crear texturas o efectos especiales.

La técnica de la veladura se ha empleado durante siglos en la pintura artística: aplicada sobre un fondo convenientemente preparado, ofrece unos resultados inigualables en transparencia y pureza de color.

Dado que para elaborar la veladura es necesario diluir mucho la pintura, el color de partida se vuelve mucho más tenue, sin que sea posible prever con exactitud en qué medida hay que saturar las tintas para obtener el tono final deseado. Es, pues, más aconsejable teñir las pinturas con tintes universales o pigmentos en polvo, que permiten actuar sobre la marcha e ir añadiendo hasta que el resultado nos satisfaga.

Pigmentos y colorantes

Los colorantes solubles de uso universal y los pigmentos en polvo son medios igualmente válidos para teñir las pinturas, ya sean éstas a base de agua o de aceite. Sin embargo, es probable que advirtamos comportamientos ligeramente distintos entre ambos materiales, debido a sus características físicas. Los colorantes líquidos se disuelven completamente en el medio acuoso (o en aceite) sin dejar ningún rastro ni sedimento.

El pigmento en polvo, en cambio, aun estando finamente triturado, no es necesariamente una sustancia soluble: las partículas sólidas que constituyen el pigmento se dispersan en el medio líquido, pero no se acaban de deshacer. Dependiendo del grosor de los corpúsculos, es probable que encontremos trazas visibles del pigmento, al quedar éste fijado al soporte de manera algo aleatoria.

Base al agua

La mayoría de las técnicas explicadas en este libro están realizadas con pintura plástica y, por lo tanto, tienen como disolvente el agua.

La popularidad de este tipo de pintura se debe a que es muy fácil trabajar con ella, ya que no desprende olores desagradables y los pinceles y otras herramientas se pueden limpiar fácilmente. Además, resulta más económica y respetuosa con el medio ambiente.

La pintura plástica, sin disolver, tiene un alto poder cubriente, por lo que resulta fácil tapar una pared cuyo color sea bastante oscuro con pintura de color claro. Los colores que proporcionan las pinturas plásticas de calidad son inalterables y el blanco jamás amarillea. Por otro lado, su secado rápido la hace adecuada para la mayoría de los procedimientos, excepto aquellos en los que se requiere una manipulación laboriosa de la superficie pintada, en cuyo caso sería necesario añadir a la pintura plástica un retardador del secado.

El resultado final es poroso y de un agradable aspecto mate, muy adecuado para ambientes rústicos o naturales.

Fondo

El fondo requerido para los procedimientos al agua es una capa de pintura plástica satinada. La pared ha de estar bien sellada y resbaladiza para poder manipularla con comodidad.

Recuerde que no se puede aplicar pintura a base de agua sobre una base al aceite, ya que no se adhiere. Aunque raramente encontraremos paredes pintadas al óleo, habría en este caso que lijarlas y darles una imprimación con una base acrílica antes de proceder a aplicar la pintura plástica.

Para reconocer si una superficie está pintada a base de aceite o látex, tome un algodón empapado en alcohol y frote sobre un área oscura. Si es látex, el algodón quedará pegajoso y manchado de pintura; si es aceite, saldrá limpio.

Veladura

Los ingredientes necesarios para realizar una veladura con base acuosa son:

· 4 partes de agua

· 1 parte de látex

· 1 parte de pintura plástica satinada blanca

Asegúrese de preparar cantidad suficiente para el espacio que hay que tratar. Medio litro de veladura al agua cubre aproximadamente 20 m³ de superficie.

La mezcla de estos tres ingredientes nos proporcionará una veladura semejante a las ya comercializadas, sin pigmentos añadidos, que podremos almacenar y teñir cuando lo requiriera la ocasión. Cierre el bote herméticamente para prevenir el secado de la preparación.

En nuestro caso, daremos directamente a la veladura un tono azul ultramar, con el azulete tan típico de la cuenca mediterránea. También podrían emplearse a tal fin los tintes universales, guaches o acrílicos de pintor, pero nunca los colores al óleo.

Base al aceite

Las mayoría de las pinturas al aceite tienen como vehículo el aceite de linaza crudo o con secativo. El aceite, una vez seco, forma una capa que se endurece paulatinamente con los años y ofrece muy buena resistencia a los disolventes y productos de limpieza.

Por lo tanto, esta base resulta idónea cuando se buscan acabados muy duraderos, totalmente impermeables y repelentes contra la suciedad.

Las paredes pintadas al aceite tienen un aspecto brillante y suntuoso, a menudo imitado con otros medios, y los colores presentan una transparencia y saturación inigualables.

Por su secado lento (alrededor de 12 horas, según las condiciones de humedad y el grosor de la capa) la pintura al aceite resulta también muy indicada para aquellos procedimientos más laboriosos, como los veteados de madera o el falso mármol.

Los inconvenientes de este tipo de pintura son su elevado coste, el olor que desprende y la tendencia a amarillear, cosa esta última que se ve agravada con el calor y la incidencia de la luz. Por ello, es preciso prestar especial atención a los tonos azulados, ya que al sobreponerles algo de amarillo podrían aparecer más apagados de lo previsto.

Fondo

Para los procedimientos a base de aceite disponemos de dos opciones de fondo: esmalte satinado y, dado que la veladura a base de aceite sí se adhiere sobre un soporte pintado al agua, pintura plástica satinada.

Si la pared que deseamos tratar estuviera ya pintada en mate, deberíamos, antes de aplicar la veladura, dar una capa de látex o de barniz acrílico para conferir impermeabilidad al soporte.

Acabados

La aplicación de barniz sobre una pared pintada al aceite no es estrictamente necesaria, ya que este procedimiento ya proporciona un acabado brillante a la superficie. Además, cuando haya transcurrido el tiempo necesario para que el aceite de linaza se haya endurecido completamente, se habrá formado una película muy resistente y totalmente lavable.

Sólo es recomendable barnizar las superficies pintadas al aceite en zonas de paso, o allí donde se prevea que pueda haber mucho desgaste, para una protección extra.

Es bastante recomendable, sin embargo, aplicar una capa final de barniz a las paredes pintadas al agua, ya que éstas pueden ser algo vulnerables a la suciedad. Mediante el barniz, además, podemos proporcionar un aspecto más acabado a la pared y aumentar el efecto decorativo.

Los tipos de barniz más empleados para acabados murales son acrílicos, sintéticos y de poliuretano.

Los primeros son sólo aplicables sobre superficies al agua y disponen de dos acabados: satinado o mate. No son tan resistentes como los barnices a base de aceite y, aunque no amarillean con el tiempo, suelen formar una película ligeramente azulada sobre los colores más oscuros.

Los barnices sintéticos y de poliuretano, solubles en aguarrás, presentan más resistencia y dureza que los acrílicos. Son totalmente lavables y pueden aplicarse sobre cualquier superficie.

El producto más indicado para proporcionar un acabado decorativo a la pared es el barniz sintético. Éste, ya sea mate, satinado o brillante, contribuye a proteger la superficie de posibles agresiones y hace más duradero nuestro trabajo.

La elección entre los acabados brillante, satinado o mate dependerá del aspecto que deseemos dar a la pared y, en cualquier caso, le será indicado.

Por lo general, los procedimientos más rústicos requieren un acabado mate. Hay que tener en cuenta, sin embargo, que el barniz mate ofrece una buena resistencia pero no protege la superficie de la grasa, por lo que habrá que cuestionar su uso en cocinas.

Una capa de barniz brillante, en cambio, es extremadamente resistente y limpio, pero puede llegar a reflejar la luz como si se tratara de un cristal, cosa que en determinadas condiciones de iluminación puede ser una desventaja. También puede resaltar pequeñas irregularidades de la superficie. El barniz se aplica sobre la superficie ya seca y libre de polvo, con una brocha de calidad bien limpia y que tenga cerdas abundantes, suaves y largas.

En el envase se indica el tiempo de secado: generalmente, el barniz sintético y el de poliuretano secan al tacto en 6 u 8 horas y permiten aplicar una segunda mano al día siguiente. Para un acabado extraordinariamente liso y profesional, lije la superficie con una lija de agua.

Limpieza y conservación

Una escrupulosa limpieza de las herramientas nos ahorrará tener que comprar material nuevo la próxima vez que lo necesitemos. Cuando en los pinceles hay restos de pintura seca, las cerdas no pueden extender bien la pintura, dejan marcas muy evidentes y son ya irrecuperables. Por ello, le aconsejo que deje de pintar una media hora antes de terminar su jornada y que jamás se salte este último paso de la limpieza de los materiales.

El proceso de limpieza varía en función del medio utilizado, ya que la pintura al aceite requiere un disolvente como el aguarrás. Los pinceles sucios de pintura al agua se lavan sólo con agua y jabón pero, sobre todo cuando trabaje con látex, es importante que el lavado se haga de forma inmediata.

Cómo almacenar restos de pintura

Procure que el bote sea proporcionado a la cantidad de pintura que le sobra: guardar pequeñas cantidades en botes grandes hace que se acumule aire y se acelere su deterioro. Para cerrar el bote herméticamente, se puede recurrir a un listón de madera, que colocaremos sobre la tapa. Golpee el listón con un martillo hasta que la tapa encaje perfectamente. Almacene los botes boca abajo, en un sitio fresco y seco.

Es también una buena idea escribir de forma bien visible sobre los botes la fecha, tipo de pintura, el lugar en donde fue utilizada y cualquier otro dato que usted considere útil. El día que necesite hacer un retoque se alegrará de haber obrado así.

Paso a paso

En este caso daremos directamente a la veladura un tono azul ultramar, con el azulete tan típico de la cuenca mediterránea.

También podrían emplearse a tal fin los tintes universales, guaches o acrílicos de pintor, pero nunca los colores al óleo.

Materiales
· *pigmento*
· *4 partes de agua*
· *1 parte de látex*
· *1 parte de pintura plástica satinada de color blanco*

Consejos

Si, no obstante, la consistencia de la veladura resultara demasiado espesa u opaca, se podría aclarar con agua; si, por el contrario, tendiera a gotear, se podría añadir más látex o pintura.

Le recomiendo, pues, que no agote estos ingredientes al preparar la veladura, por si hubiera que ajustar las proporciones.

 1

En un recipiente del tamaño adecuado a la cantidad de veladura que desea preparar, ponga 4 partes de agua.

 2

Añada el pigmento y mezcle bien. Para determinar la cantidad que se requiere para obtener el tono deseado hay que hacer pruebas, ya que no todos los pigmentos tienen el mismo poder colorante. Una cantidad menor dará un resultado más transparente.

 3

A continuación añada 1 parte de látex. Esta sustancia aglutinante, elástica y de buena adherencia, forma al secarse una película resistente a la luz y al envejecimiento.

 4

Remueva bien la mezcla resultante. Con las cantidades que le hemos indicado, la veladura debería adherirse bien a la pared y a la vez dejar traslucir el color de la base.

 5

Añada por último 1 parte de pintura plástica satinada de color blanco.

Paso a paso — Veladura de color al aceite

La veladura al aceite se obtiene con los siguientes ingredientes:

1 parte de aceite de linaza con secativo

2 partes de aguarrás o disolvente sin olor

1 parte de barniz: mate, satinado o brillante, según el aspecto final que queramos dar a la superficie

Consejos

Tenga cuidado con los ingredientes de la veladura al aceite, ya que son inflamables: si lleva a cabo un drapeado al aceite, lo mejor es que vaya echando los trapos usados en un cubo con agua y que, por supuesto, no fume.

Es muy práctico preparar una solución de veladura sin color, para almacenarla y tenerla lista a medida que se necesita. Asegúrese de cerrar bien el bote.

 1

En primer lugar, ponga la cantidad de pintura necesaria en un cuenco. En este caso, hemos empleado pintura al óleo color siena tostado.

 2

Vierta a continuación un poco de disolvente o aguarrás encima de la pintura.

 3

Mezcle bien hasta la completa disolución del color. En caso de haber empleado pigmento en polvo, se debería proceder de igual modo.

 4

Ahora ya está listo para incorporar esta mezcla a la veladura preparada anteriormente y obtener así una veladura color siena tostado.

Paso a paso ___ Limpiar pinceles y paletinas

Las manchas y restos de masilla se limpian muy fácilmente en húmedo. Si se han formado incrustaciones en las espátulas, utilice otra espátula o una rasqueta y lije la superficie con un papel de grano fino.

Recuerde que es conveniente limpiar también los recipientes que piense reutilizar, así como la cubeta y la rejilla del rodillo.

 1

Una vez bien escurrida, seque la paletina con papel de cocina o un trapo viejo, para eliminar toda la pintura posible.

Consejos

Si sólo piensa interrumpir el trabajo por unos momentos, puede envolver los pinceles en una bolsa de plástico o papel de aluminio hasta el momento en que los vuelva a necesitar. También puede sumergir los pinceles sucios de esmalte o pintura al aceite en un recipiente con aguarrás, prestando atención a que las cerdas no toquen el fondo. Para ello, atraviese el mango con un alambre y apóyelo sobre el borde del bote.

 2

Sólo en caso de haber utilizado esmalte o veladura al aceite será preciso, a continuación, limpiar los pinceles con disolvente o aguarrás. Si, en cambio, se ha empleado una pintura plástica, hay que disolver los restos de pintura en abundante agua caliente.

 3

A continuación, para eliminar cualquier resto, ya sea de pintura al agua o al aceite, ponga sobre las cerdas unas gotas de detergente específico o de jabón para los platos.

 4

Frote la paletina sobre una superficie rugosa, haciendo que el jabón reblandezca bien las raíces de las cerdas, ya que es allí donde la pintura tiende a endurecerse más.

 5

Aclare a fondo, bajo el grifo, para que no queden restos de detergentes.

 6

Cuelgue la paletina boca abajo, en un sitio aireado. No guarde los pinceles hasta que estén completamente secos, ya que de lo contrario podría formarse moho.

2. Espacio y color

I. El espacio

Preparación del espacio

Antes de empezar

Para trabajar de forma sencilla y agradable deberá vaciar la habitación de muebles. Evitará mancharlos de pintura y también se ahorrará algunos tropiezos y la incomodidad de trabajar en un espacio abarrotado.

Cubra el mobiliario restante con sábanas guardapolvos o con plástico. Envuelva también los radiadores y demás elementos fijos con plástico o papel de periódico sujeto con cinta adhesiva de pintor.

Las paredes

Le aconsejo que desmonte los apliques de luz, así como todos aquellos elementos decorativos que pudieran dificultar su tarea: barras de cortinas, estantes, repisas, etcétera. No olvide aislar bien los cables de los apliques, si fuera necesario.

Cubra escrupulosamente los bordes de interruptores y enchufes con cinta de pintor. Aunque algunos modelos de interruptores y enchufes permiten desmontar el marco con relativa facilidad, no se arriesgue a hacerlo si carece de experiencia en la manipulación de este tipo de mecanismos. No se olvide de extraer todos los clavos y alcayatas que pudieran haber quedado clavados en la pared.

Protección de los bordes

Para proteger los marcos de puertas y ventanas, lo más cómodo es utilizar una cinta de pintor ancha. El mismo procedimiento puede ser aplicado para proteger el techo y el rodapiés, prestando especial atención en cubrir bien los rincones.

La cinta deberá permanecer en su sitio hasta que la pintura se haya secado completamente. Finalmente, cubra el suelo con papeles de periódico o con un plástico de grandes dimensiones.

Le aconsejo que se provea de un buen nivel de burbuja. Con él podrá trazar sin esfuerzo una ligera línea fronteriza entre lo que va a ser pintado y lo que conviene no manchar. Aplique a continuación la cinta de pintor siguiendo cuidadosamente el trazo del lápiz.

Según la técnica prevista, recuerde que las pinceladas dadas perpendicularmente y en dirección a la cinta pueden dejar colar algo de pintura por debajo de ésta, especialmente si se utiliza un pincel muy cargado o si la pintura está muy diluida. Por ello, deberá tener la precaución de trazar la pincelada desde la cinta hacia el resto de la superficie.

Preparación de las paredes

La pintura decorativa contribuye en gran medida a mejorar el aspecto de la habitación, pero no nos engañemos: los pequeños defectos que pudieran hallarse debajo no desaparecen y luego cuesta más intentar disimularlos, así que no es conveniente saltarse los siguientes preliminares.

En la mayoría de los casos, e encontrará con muros sin graves daños en el enlucido: dejar estas paredes listas para recibir la pintura es tarea fácil y rápida. Si, en cambio, topara con problemas de humedad o grietas debidas a movimientos de la estructura, debería siempre acudir a un profesional.

Limpieza de la superficie

Póngase su ropa de trabajo e inspeccione detalladamente la pared: si está sucia o algo grasienta, quítele bien el polvo con un trapo o aspirador, en primer lugar, y lávela a continuación con un estropajo y agua jabonosa.

El detergente para las vajillas es adecuado para este propósito.

Airee un poco la estancia para que se sequen las paredes. A continuación, fíjese atentamente en todos los desconchados, agujeros de clavos, grietas y demás desperfectos que pudiera hallar, señalizándolos si quiere con un adhesivo (es muy fácil olvidarse de algún agujerito) y repare la superficie tal como le indicamos a continuación.

Pintura desconchada

Desprenda con la ayuda de una espátula toda la pintura que no esté fuertemente adherida a la pared. El desnivel resultante se elimina fácilmente mediante un buen lijado o bien aplicando masilla con una espátula ancha y lijando después.

Grietas

Utilice un destornillador o la esquina de la espátula para ensanchar la grieta y favorecer así la adhesión de la masilla.

Después de eliminar el polvillo resultante y humedecer la grieta con un pincel, haga penetrar bien la masilla en su interior, moviendo la espátula primero perpendicularmente y deslizándola después a lo largo.

Es mejor rellenar por partes las grietas y agujeros profundos, y esperar a que se endurezca la masilla antes de proseguir, ya que poniendo una cantidad de masilla demasiado grande de una sola vez ésta podría rebosar y salirse del hueco.

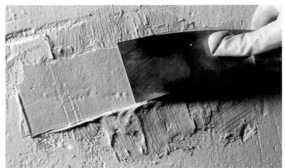

Una vez bien seca la masilla, procederemos a lijar hasta que la superficie esté totalmente lisa. Si la zona es muy grande, se puede utilizar una lijadora orbital. Si no, un papel de lija de grano fino envuelto alrededor de un bloque de madera o corcho.

Si usted quiere ahorrarse el lijado de las grietas pequeñas, llene la fisura con masilla de manera que ésta rebose ligeramente. Pasados unos 5

minutos (cuando la masilla esté empezando a solidificar) pase un trapo húmedo por encima. En el mercado existen distintos tipos de plaste o masillas para aplicaciones específicas (exteriores, grietas con movimiento, interiores de uso general) y en distinta presentación: en polvo o listas para su uso. Compre siempre una masilla de buena calidad.

Aplicación de la base

Una vez que la pared esté lisa y limpia, será necesario aplicar una o dos capas de pintura, asegurándose en este caso de que la primera capa esté bien seca antes de aplicar la segunda.

La base puede aplicarse tanto con brocha como con rodillo. El rodillo resulta muy rápido y fácil, aunque consume más cantidad de pintura.

En ambos casos, hay que empezar primero por pintar las esquinas y los bordes de la pared, donde habíamos pegado previamente la cinta de pintor.

Efectuaremos esta operación con una brocha de unos 4 cm. La intención es depositar la cantidad de pintura adecuada. Seguidamente, cruzaremos por encima de estas pinceladas con un trazo paralelo a la cinta de pintor. Siempre es conveniente empezar a pintar por una de las esquinas superiores de la pared abierta al exterior, por donde entre la luz natural, para irse alejando paulatinamente. Por supuesto, si hubiera que pintar el techo, éste iría en primer lugar.

Con brocha

Vierta parte de la pintura en un cubo con asa y de tamaño pequeño. Sumerja la brocha hasta la mitad de las cerdas y escúrrala en la pared interior del cubo.

Para pintar una zona amplia, conviene actuar de manera metódica y dividirla en sectores que se puedan cubrir cómodamente sin necesidad de desplazarse; por ejemplo, de 60 x 80 cm. Sujete la brocha en un ángulo de unos 45º y pinte una de esas áreas primero horizontalmente, sin presionar en exceso.

A continuación, y para eliminar las líneas horizontales que hayan podido dejar las cerdas, cruce en sentido vertical, con la brocha prácticamente descargada, por encima de la zona recién pintada; dé las pinceladas hacia bajo cuando esté pintando la parte superior de la pared y hacia arriba, cuando se encuentre en la parte inferior.

Hay que solapar las zonas adyacentes cuando todavía no se haya secado la pintura.

Con rodillo

Vierta pintura en la bandeja o cubo cuadrado, sumerja el rodillo hasta un tercio de su altura y hágalo rodar sobre la parte estriada o sobre la parrilla con el fin de escurrirlo.

Pase el rodillo sobre la pared en todas direcciones, evitando que éste resbale sobre la superficie.

2. El color

 Fig. I

En esta habitación se logra el efecto de acercamiento del techo mediante un color cálido y luminoso. Las paredes, a su vez, alcanzan la profundidad desea-da gracias a las veladuras en azul.

El color es tal vez el primer aspecto que se tiene en consideración cuando se piensa en pintar una estancia.

Escoger el color

Los colores y los acabados murales están bastante vinculados a la moda.

Tenemos que plantear la elección de nuestra gama de colores con un criterio personal y adecuado a una serie de factores: luz, calidad de luz y brillo de la superficie.

Luz

Es bien sabido que los tonos oscuros, al absorber luz, restan luminosidad a una habitación, mientras que con los tonos claros ocurre lo contrario.

Le aconsejo que analice el espacio que va a pintar, pruebe con un tono claro o pastel y, vencida la timidez, experimente con los amarillos, azules u ocres... Quizá se sorprenda a sí mismo cargando las tintas.

Para probar un color, pinte directamente en la pared y deje secar la pintura.

Cubra una superficie suficientemente grande para que se pueda imaginar el resultado final y acerque a la zona pintada algún mueble o tapicería ya presente para ver cómo combinan los colores. Si teme manchar la superficie, opte por pintar sobre una cartulina grande y colocar ésta sobre la pared.

Calidad de la luz

Estudiar el caudal y las fuentes de luz presentes en el espacio debería estar siempre ligado al hecho de pintar.

Pero no sólo hay que tener presente si la habitación está poco o muy iluminada: el color en sí, lo que se denomina tono, está determinado directamente por la calidad de la luz que incide sobre él. De ésta depende que una pared no se perciba igual si recibe sólo luz solar, si se ilumina con luz artificial o si la fuente de luz es mixta.

Brillo de la superficie

Y ya que hablamos de luz, no podemos dejar de mencionar el acabado, brillante, satinado o mate, que hará que en cada caso la luz rebote de manera muy diferente y se produzcan distintas impresiones de luminosidad en la estancia.

El espacio

Se puede decir, en general, que los colores pastel más suaves, y especialmente en tonos fríos, parecen alejar las paredes, mientras que los colores cálidos más brillantes las acercan.Si, además, a una base clara le añadimos una veladura, aumentamos ulteriormente la sensación de amplitud. Este tipo de acabados decorativos, frente a los colores planos obtenidos con la pintura convencional, da a la superficie una impresión de profundidad, ya que al sobreponer un primer plano (la veladura) a un fondo (la base) se crea la sensación de que este último se encuentra más alejado.

 Fig. 2

En este caso observamos cómo se ha unificado el color de paredes y techos para dar amplitud a este baño.

Espacios pequeños

Para engrandecer visualmente una habitación, en general lo más adecuado sería optar por tonos claros y evitar resaltar las diferencias entre superficies mediante la unificación del color de paredes y techo.

En cualquier caso, no es recomendable crear contrastes violentos, con tonos fuertes. Si el techo es bajo, le recomiendo que lo pinte de blanco o de un color más claro que las paredes. Así gana también luminosidad.

 Fig. 3

En esta foto observamos un estilo muy marcado, una hacienda colonial. Colores

Espacios demasiado grandes

Aunque a más de uno le gustaría tener ese problema, la verdad es que una habitación excesivamente grande puede resultar poco acogedora. Opte, si este es su caso, por colores cálidos y alegres (amarillos saturados, naranjas, rojos amarronados...). El resultado será mucho menos inhóspito.

Si el techo es muy alto, píntelo también en un tono algo oscuro, en la misma gama que las paredes. Si hubiera que rebajar ópticamente un techo muy alto y éste tuviera necesariamente que ser claro (por haber luces rebotadas, por ejemplo), la solución podría residir en dar un mayor peso visual a las paredes mediante la aplicación de una franja en un color contrastado.

El uso

¿Vamos a pintar un recibidor o una cocina? ¿Es una habitación infantil o un despacho profesional?

Aunque las únicas prohibiciones que existen en materia de color son las que nosotros mismos nos imponemos, hay algunas consideraciones que habría que tener en cuenta acerca del ambiente a pintar: si se trata de una zona de paso o, en cambio, de un lugar donde se va a permanecer muchas horas; y también la actividad y las personas que van a ocupar ese espacio. El inconveniente más frecuente de las zonas de paso, como recibidores y pasillos, es que pueden ser estrechas y oscuras. La gran ventaja, en cambio, es que nos permiten crear una imagen impactante mediante técnicas y colores muy atrevidos, ya que, al no permanecer en ellas demasiado rato, no nos llegan a abrumar.

Un salón debe proporcionar un ambiente más relajado, al igual que los dormitorios y despachos. Eso no quiere decir que se deban desterrar los colores vivos; sólo que hay que considerar la posibilidad de que nos lleguen a cansar la vista o influyan negativamente en nuestro estado anímico. Aunque no seamos conscientes de ello, parece estar demostrado que los colores afectan a nuestro sistema nervioso y pueden modificar nuestra natural disposición.

El rojo es un color excitante, capaz de aumentar el ritmo cardiaco, asociado culturalmente con la pasión, cosa que explicaría la profusión de este

Figs. 4 y 5

Escoger los colores apropiados para las paredes transforman y personalizan el espacio.

tono tanto en las salas de fiestas como en los envases de productos de gran consumo.

En cambio, se considera que los azules y verdes relajan y fomentan la concentración en el trabajo; que amarillos y naranjas inyectan dinamismo; que los violetas equilibran la mente...

Normalmente, estos principios tienen su fundamento y su aplicación general, aunque raramente encontraremos en un ambiente colores totalmente puros y lo suficientemente aislados para poder valorar esta teoría, que depende a su vez de factores culturales.

Resulta en cualquier caso interesante tener en cuenta estas indicaciones para, en función de nuestra personalidad y de los efectos que queramos potenciar, acabar de definir la elección del colorido de nuestra casa.

El estilo

La personalidad de sus moradores es, sin duda, el factor que contribuye en mayor medida a dar al hogar un estilo y carácter propio.

Por ello, contra la uniformidad en que se podría caer al vivir en bloques de pisos, resulta que no existen dos viviendas iguales: en materia de color y decoración, no hay recetas válidas para todo el mundo.

El color es importantísimo a la hora de conferir un estilo determinado a su hogar, por lo que le aconsejo que intente definir un estilo para su casa y estudie cuál es la paleta más adecuada: colores mediterráneos, cálidos y clásicos; azules grisáceos y blancos escandinavos para ambientes relajantes y naturales; colores quebrados, sobrios y elegantes; colores mexicanos, pasteles años treinta... además de todas las que uno mismo puede improvisar según su gusto.

Teoría del color

Si usted nunca ha tenido ocasión de experimentar con los pinceles, le invito a que lea este capítulo provisto, si lo desea, de cinco frascos de témpera o guache.

Los únicos colores que necesita para poder obtener cualquier tono deseado son: amarillo, magenta, cyan, blanco y negro. Los tres primeros son los llamados colores primarios. De su combinación se pueden obtener todas las demás tintas.

Al añadir el blanco, en mayor o menor medida, el color se aclara; con el negro, se oscurece.

El círculo cromático

El círculo cromático, o rueda de colores, representa de forma gráfica y clara las relaciones entre los colores del espectro, a la vez que permite prever de manera bastante aproximada los resultados de las mezclas.

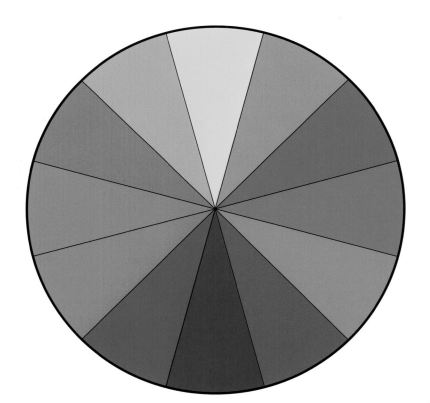

 Fig. 6

El círculo cromático empleado por los pintores se basa en la combinación sistemática de los colores del espectro de pigmentos, a partir de tres colores primarios: rojo (magenta), amarillo y azul (cyan).

Está dividido en seis o doce partes iguales: en tres extremos opuestos, se hallan los tres colores primarios.

En medio de éstos, equidistantes, se sitúan los llamados colores secundarios, obtenidos a partir de la mezcla de los primarios, en cantidades iguales: rojo, de la mezcla de amarillo y magenta; verde, del amarillo y el cyan, y violeta, obtenido con magenta y cyan.

Una ulterior subdivisión da cabida a los colores terciarios, que se obtienen de mezclar, en la misma proporción, un color primario y un color secundario adyacente en el círculo cromático.

Por ejemplo, de la mezcla de magenta y violeta, obtendremos un color morado. Los colores terciarios pueden mezclarse sucesivamente, para dar lugar a infinidad de tonos.

Los colores opuestos en el círculo cromático se denominan colores complementarios. Así, el amarillo, que es un color primario, tiene como complementario al violeta. Un color, al mezclarse en igual medida con su complementario, da como resultado un gris neutro.

Al añadir sólo ligeras cantidades de su complementario y rectificarlo con blanco, se obtienen los colores quebrados tan de moda actualmente. Un tono azulado, por ejemplo, vira hacia gris con la adición del color naranja.

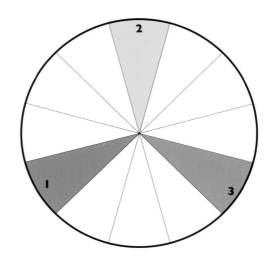

 Fig. 7

Los tres colores primarios situados en el círculo cromático: magenta (1), amarillo (2) y cyan (3).

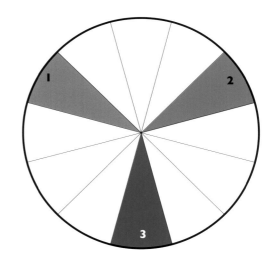

 Fig. 8

Los tres colores secundarios situados en el círculo cromático: naranja (1), verde (2) y violeta (3).

Mezclar el color

Una vez que nos hayamos formado una idea clara sobre el color que deseamos dar a nuestra pintura, podemos emplear varios métodos para obtenerlo.

El más habitual es ir mezclando tintes a la pintura de base hasta que el color de la mezcla sea el que buscamos. No hay ningún inconveniente en recurrir a un color a la carta como pintura de base, especialmente cuando la tinta que deseamos obtener sea muy saturada, lo cual nos obligaría a utilizar grandes cantidades de colorante. Sin embargo, como ya comentamos en el apartado dedicado a la pintura, al preparar la veladura probablemente habrá que rectificar ese color con tintes o pigmentos en la manera habitual.

Léxico del color

Tinte o tono es la cualidad que nos permite distinguir los colores entre sí. En la pintura, el tinte está determinado por el pigmento. Así, hablaremos de azul, rojo o verde según las longi-

tudes de onda de la luz incidente que ese pigmento refleje o absorba. El blanco no absorbe ninguna radiación y las refleja todas, mientras que con el negro ocurre lo contrario.

Luminosidad es el mayor o menor grado de luz reflejada. No tiene que ver con el tinte, por lo que un verde y un rojo determinados pueden tener la misma luminosidad y aparecer como un mismo valor de gris en una fotografía en blanco y negro. Habitualmente, nos referimos a los colores como claros u oscuros en función de su luminosidad.

Saturación es el porcentaje de tinte puro que contienen los colores. Coloquialmente, hablaríamos de un color saturado como de un color subido.

Matiz es la aportación de otros tonos sobre el color básico, que hace que éste tienda hacia un tono distinto. Es lo que nos permite hablar de verdes azulados o turquesas, de rojos anaranjados... Pastel es el color obtenido mediante la aplicación de grandes dosis de blanco sobre el color base. Un color apagado se obtiene al añadir un poco de negro. Un color quebrado es el que se obtiene al mezclar un color base con una pequeña cantidad de su complementario y algo de blanco; el resultado es una tonalidad grisácea.

Combinar el color

En un interior los colores no están aislados, sino que se relacionan entre sí variando sus cualidades intrínsecas.

Hay que prever la intensidad y el tono que adquirirán las paredes según tengan que ir junto a uno u otro color, por lo que habrá que considerar mobiliario, carpintería, paredes vecinas, cortinajes o alfombras que vayan a convivir con esa pared.

Recuerde que el éxito de la decoración no estriba en seleccionar determinadas tonalidades, sino en crear el equilibrio adecuado entre ellas.

Básicamente, las combinaciones de color, tanto en lo que se refiere a la pintura de las paredes como a su integración con el mobiliario y los restantes elementos decorativos, se pueden realizar en función de dos esquemas básicos: el contraste y la armonía.

3. Soluciones paso a paso

Paso a paso   1. Drapeado al agua

La pintura al aceite sigue vigente en la decoración mural, ya que proporciona unos resultados difícilmente obtenibles con otros medios.

Unida a la técnica del drapeado y a una gama cromática en tonos siena, da como resultado un acabado clásico y muy apreciado.

Material para realizar este acabado
· *pintura plástica satinada de color blanco*
· *látex, pigmento azul ultramar (azulete)*
· *agua*
· *trapos de algodón*

Consejos

Un correcto drapeado presenta una textura suave, algo más acusada, si el trapo utilizado se ha arrugado mucho. El aspecto final variará en función de los colores elegidos para fondo y veladura, pero si fuera necesario, el resultado se podría intensificar. Para ello bastaría con aplicar una segunda veladura sobre la superficie ya seca y repetir el proceso.

Con los materiales citados, y siguiendo las proporciones indicadas en el primer capítulo, prepare la veladura al agua. El resultado debe tener un aspecto lechoso y un color azul más o menos claro según la cantidad de pigmento que hayamos empleado.

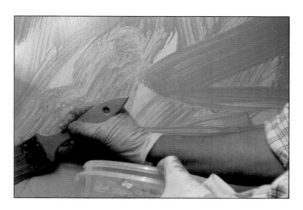

Sobre un fondo de pintura plástica satinada, extienda la veladura con trazos algo aleatorios utilizando una paletina. El secado rápido de la veladura al agua no le permite manipular áreas grandes, por lo que deberá trabajar por zonas de aproximadamente un metro cuadrado.

Cubra totalmente el fondo, dejando unos márgenes irregulares que serán más fáciles de solapar con la zona que vaya a pintar a continuación.

Golpee suavemente la veladura húmeda con un trapo arrugado, a modo de tampón. Dóblelo a medida que se empape y tenga a mano unos cuantos más para ir renovándolos. No deben quedar pinceladas visibles. Cuando esté satisfecho con el aspecto de esa zona, pase a aplicar la veladura sobre la zona contigua y a proceder con el drapeado, poniendo mucha atención en fundir los márgenes hasta que éstos resulten totalmente imperceptibles.

Paso a paso —————— 2. Drapeado al aceite

Esta técnica goza de gran popularidad entre los aficionados a la pintura decorativa, ya que no requiere materiales o habilidades fuera de lo común. El resultado, en cambio, consigue dar vida a las paredes más sosas, sea cual sea el estilo adoptado.

El drapeado al aceite proporciona un resultado discreto y elegante, aunque nada aburrido. Es, además, un acabado muy duradero, idóneo para zonas donde se prevea mayor desgaste.

Para hacer un drapeado al aceite
· veladura al aceite de color siena tostado
· paletina
· t rapos de algodón

Consejos

Según el material y el grosor del tejido, las marcas que dejará el trapo serán más o menos acusadas. Pruebe a realizar el drapeado al aceite con trapos de distintas calidades, más finos o de tejido más abierto, para optar por el resultado que más le satisfaga.

 1

Tiña la veladura al aceite con un poco de pintura al óleo, tal como hallará indicado en el apartado dedicado a la base de aceite, y aplíquela con la paletina sobre un fondo de pintura plástica satinada color crema.
Cubra una área aproximada de dos metros cuadrados con pinceladas desordenadas, dejando unos márgenes irregulares.

 2

Tome un trapo arrugado y efectúe movimientos de tampón sobre la superficie húmeda.
Conviene ir arrugando el trapo de distintas maneras para que el estampado varíe. De este modo, se crea la textura característica del drapeado.

 3

Vaya renovando los trapos a medida que éstos se empapen, y pase a aplicar la veladura sobre la zona adyacente una vez que haya drapeado totalmente la zona pintada en primer lugar. Procure que se fundan correctamente los márgenes húmedos. Si comete alguna equivocación o el resultado no acaba de gustarle, moje un trapo con aguarrás o disolvente...

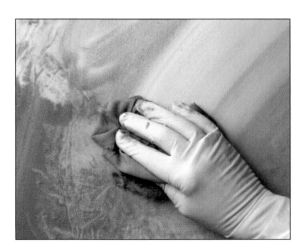

 4

...y borre el área que desea repetir. El secado lento de la base al aceite le permite rectificar inmediatamente el proceso.

Paso a paso _____

El rayado al agua es un acabado que admite gran variedad de tonos y que, por su aspecto delicado y elegante, encaja con acierto en casi todos los ambientes. Una última capa de acabado en cera le da un aspecto lustroso muy agradable.

Para realizar este acabado necesitará
· *veladura al agua coloreada con azulete (pigmento azul ultramar)*
· *t rapos de algodón*
· *paletina*
· *paletina canaria*

Consejos

Si prefiere retardar el secado de la veladura, y así disponer de más tiempo para poder manipularla, dilúyala con un poco más de agua, sin que llegue a chorrear.

Mantenga siempre bien seca la paletina canaria. Tenga a mano un trapo y vaya eliminando de ésta el exceso de veladura.

 1

Sobre una pared blanca, pintada con pintura plástica satinada, aplique la veladura azul ultramar con la ayuda de la paletina. Debe dividir su área de trabajo en franjas verticales, de unos 40 o 50 cm de ancho, y cubrirlas con pinceladas aleatorias en sentido vertical.
Cargue bastante el pincel, sin que llegue a chorrear la pintura.

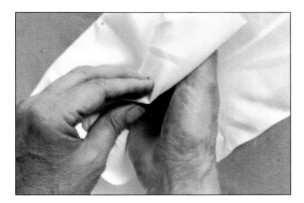

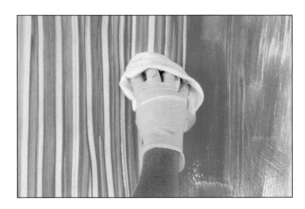

 2

Seguidamente, tome un trapo, arrúguelo e introduzca la mano en él, con los dedos abiertos.

 3

Deslice el trapo así sujeto sobre la pared, con un movimiento ininterrumpido de arriba abajo.
El gesto que resulta es parecido al de arañar la pared y, de modo análogo, se deben obtener unas marcas verticales, que corresponden a la huella de los dedos sobre la veladura húmeda.

 4

A continuación, con la paletina canaria bien seca, se matiza el rayado. Sujétela firmemente por la virola y hágala deslizar, con un movimiento continuo, de techo a suelo, tantas veces como sea necesario para afinar el rayado de la superficie. Si, debido a la altura de la pared, tuviera que interrumpir la pincelada hacia la mitad, hágalo disminuyendo la presión de las cerdas y retomando después el trazo ahí donde lo había dejado.

Paso a paso ___ 4. Esponjado en dos colores

Esta técnica admite múltiples variaciones, tanto en lo relativo al color como a los efectos que pueden añadirse al esponjado en sí.

El ejemplo que le proponemos, destinado a decorar las habitaciones infantiles, imita un prado verde.

Material necesario para el esponjado
· *esponjas marinas*
· *veladura al agua teñida en dos tonalidades de verde*
· *franjas de papel de poliéster con bordes ondulados*

Consejos

Es aconsejable aplicar este efecto sólo a determinadas zonas de la pared, limitando su altura hasta un máximo de entre metro y metro y medio. De este modo, se evita que la habitación infantil resulte demasiado recargada.

 1

Mezcle los ingredientes necesarios para obtener una veladura al agua y coloree la mitad con tinte o pintura acrílica verde claro. Aplique esta veladura con la esponja mojada sobre toda la zona a tratar.

 2

Con un verde algo más oscuro, tiña a continuación el resto de la veladura, y aplíquela de igual modo sobre la capa anterior. Cuando se superponen dos esponjados, es conveniente aplicar el color más claro en primer lugar.

 3

Con una plantilla de papel de poliéster, de borde ondulado, cree sobre algunas zonas una reserva de color, con el fin de sugerir colinas.

Paso a paso

De una manera muy fácil, obtendremos este resultado tan original en el que los tonos ocre y amarillo limón se entremezclan, de manera aleatoria, dando lugar a una textura rayada y sin relieve. Esta técnica requiere una herramienta específica para su realización: un peine de acero que hallará en los comercios especializados en pintura, con el que se "peina" la veladura húmeda y se obtiene un rayado estrecho de la superficie. Su realización es rápida y apta para principiantes.

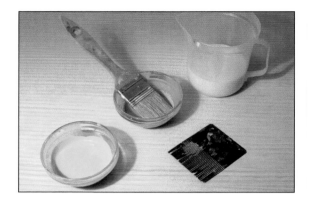

Materiales necesarios para el peinado
- *paletina*
- *peine de acero*
- *veladura al agua teñida en dos tonalidades distintas. Nosotros hemos empleado color ocre y amarillo limón*

Consejos

Esta es una técnica de muy fácil realización, que admite muchas variantes. Pruebe a realizar peinados ondulados o en zigzag. También puede formar una especie de cuadrícula, alternando rayado en vertical y en horizontal.

 1

Con la paletina, y sobre un fondo de pintura plástica satinada color crema, vaya aplicando alternativamente pinceladas de veladura en los dos colores preparados. Cubra una franja estrecha, que alcance la altura total de la pared. Para obtener el resultado que le proponemos, no utilice colores demasiado diferentes entre sí.

Deslice el peine de acero de arriba abajo para crear una textura rayada. El trazado debe ser vertical, aunque, como en cualquier procedimiento manual, es previsible que las líneas oscilen un poco.

Para evitar que el trazo se tuerza demasiado, puede utilizar una plomada como referente.

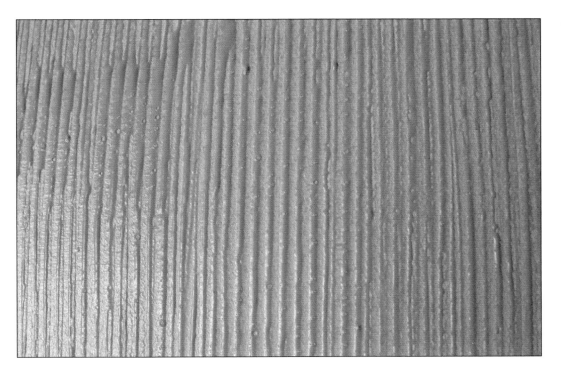

Paso a paso

6. Peinado matérico

Este inusual acabado, al requerir la aplicación de una pasta de relieve, no sólo proporciona una textura gruesa muy agradable al tacto, sino que, además, tiene la virtud de cubrir los enlucidos defectuosos.

El tono burdeos elegido, así como la alternativa en marrón, le confieren una extraordinaria calidez.

Material para el peinado matérico
- *paletina*
- *pasta de relieve*
- *peine de púas separadas*
- *látex, veladura al agua obtenida con pintura acrílica color burdeos*

Consejos

Es muy importante que, al pasar el peine para formar los surcos en la pasta de relieve, se limpien escrupulosamente las púas después de cada pasada, ya que quedan totalmente embadurnadas.

De no obrar así, el peinado resultaría poco pulcro.

 1

Extienda la pasta de relieve con la palatina sobre la superficie. Cubra una franja de unos dos metros cuadrados, cuya altura sea la misma de la pared que desea pintar.

2

La pasta de relieve o plaste de enlucir debe tener una consistencia ligera y elástica, ya que de lo contrario, el peine producirá surcos poco nítidos.

3

Antes de que la pasta se endurezca, ráyela verticalmente con el peine, de techo a suelo, tomando como referencia algún marco de puerta o ventana. A continuación, aplique la pasta sobre la franja contigua y proceda del mismo modo.

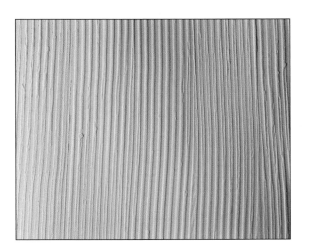

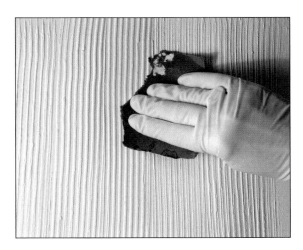

4

Deje secar totalmente la pasta de relieve siguiendo las indicaciones del fabricante. No se preocupe si los trazos resultan un poco ondulantes, ya que se trata de un procedimiento manual, cuyo encanto estriba precisamente en las ligeras irregularidades del acabado.

5

Lije la superficie para eliminar imperfecciones, y quite bien el polvo con una brocha.

Paso a paso

 6

El siguiente paso consiste en aplicar una capa de látex sobre toda la superficie, a modo de imprimación.

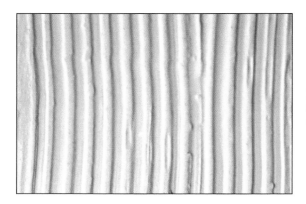

 7

El látex tiene la misión de sellar los poros y permitir que la veladura que aplicaremos a continuación se deslice con mucha más facilidad sobre la base.

 8

Una vez que esté seco el látex puede aplicar la veladura color burdeos con la ayuda de una paletina. Trabaje por franjas verticales de unos 50 o 60 cm de ancho.

 9

Retire el exceso de veladura con un trapo de algodón, siguiendo la dirección de los surcos dejados por el peine.

 10

Con el peinado matérico obtendremos una superficie en relieve, de agradable textura, que puede ayudar a disimular pequeñas irregularidades de la pared.

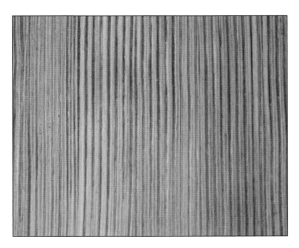

Este mismo procedimiento en tonos tierras da lugar a un acabado muy parecido al cartón de embalar.

La opción de decorar las paredes mediante la técnica del peinado matérico, resulta muy apropiada para crear ambientes informales.

Paso a paso

El falso estuco, por su aspecto clásico y a la vez discreto, puede aplicarse en gran variedad de ambientes.

El acabado extremadamente resistente y lavable de la veladura al aceite lo hace idóneo también para decorar las paredes de las cocinas.

Materiales
· b a rniz satinado
· disolvente sin olor o aguarrás, aceite de linaza con secativo
· un tubo de pintura al óleo de color rojo veneciano
· una paletina canaria, trapos para limpiar la paletina

Consejos

Según la iluminación de la estancia, el brillo del acabado al aceite puede resultar demasiado acentuado para nuestro gusto. Si este fuera el caso, aplique una mano de barniz mate para finalizar. De este modo se amortiguan los brillos.

 1

Prepare la veladura al aceite y aplíquela con la paletina sobre un fondo de pintura plástica satinada de color ocre.

 2

Esta aplicación se realiza con una paletina ordinaria, ya que no se busca otro efecto que el de depositar veladura sobre la base satinada.

 3

Dé pinceladas en todas direcciones hasta cubrir un área aproximada de dos metros cuadrados.

 4

Este es el aspecto que tiene ahora la pared. El siguiente paso se realizará inmediatamente, antes de que se seque la veladura. Como se trata de un procedimiento al aceite, dispone del tiempo suficiente para manipular la pared por zonas de unos 2m cuadrados.

 5

Sujetando la paletina canaria por la virola, extienda la veladura con movimientos desordenados de la mano, con el fin de difuminar el color.

Paso a paso _____

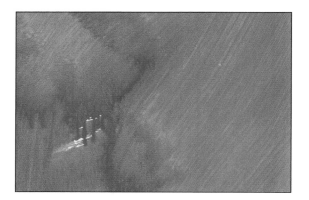

 6

Deje sin manipular los márgenes de la zona pintada para facilitar que ésta se funda con la zona contigua.

 7

Seque la paletina de vez en cuando para retirar el exceso de veladura.

 8

La paletina canaria debe esparcir el color sin dejar trazas.

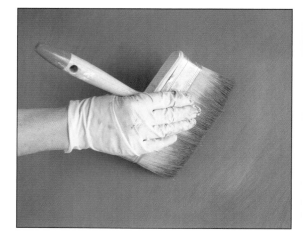

 9

El matizado con la paletina canaria debe irse suavizando paulatinamente hasta que el resultado sea de nuestro agrado, procurando alternar, de manera armónica, áreas oscuras y otras más claras.

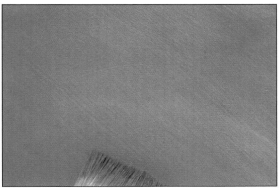

10

Éstas últimas se obtienen con movimientos más insistentes sobre una misma zona, con lo cual se retira una cantidad algo mayor de veladura.

11

El aspecto de la pared imita perfectamente el estuco veneciano, sin los inconvenientes ni la dificultad que éste comporta.

Paso a paso — 8. Trapo rodado

Este es un acabado al aceite cuya realización resulta tan sencilla como espectacular: hacer rodar un trapo sobre la pared es muy fácil y divertido (pruebe a hacerlo, si prefiere practicar antes, sobre una cartulina gruesa) y da lugar al resultado que puede ver a continuación.

Material necesario para este acabado
- *veladura al aceite*
- *pigmento en polvo color almagre*
- *trapos de algodón*
- *paletina*

Consejos

Es aconsejable teñir la veladura con pigmento un día antes de su aplicación, para que éste quede completamente impregnado y se integre mejor en el medio oleoso.

Si prefiere obtener unas marcas menos evidentes, utilice un trapo más pequeño, que, una vez enrollado, formará un cilindro más fino.

 1

Disuelva el pigmento almagre en un poco de aguarrás sintético e incorpórelo a la veladura sin pigmentar, tal como le indicamos en el capítulo correspondiente. Aunque la veladura al aceite cunde mucho, ya que 1 litro puede llegar a cubrir 75 m^2 de superficie, procure no quedarse corto y prepare una cantidad más que suficiente para cubrir toda la zona a pintar.

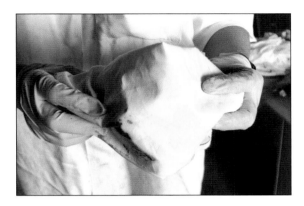

2

Sobre un fondo de pintura plástica satinada blanca, aplique la veladura con la paletina. Dé pinceladas en todas direcciones hasta cubrir una área de unos dos metros cuadrados. La veladura debe tener la consistencia adecuada para que no gotee ni sea demasiado cubriente.

3

Forme a continuación un cilindro con el trapo de algodón.

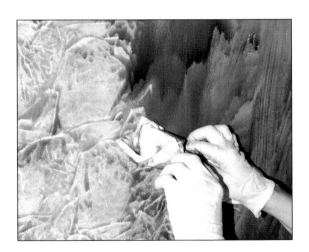

4

Dándole vueltas con los dedos, este cilindro de trapo se debe hacer rodar, de abajo arriba, sobre la veladura húmeda, como si se tratara del rulo de un rodillo. Manipule así toda la zona hasta que no queden intersticios. Cuando esté satisfecho con el resultado, pase a aplicar la veladura sobre la zona contigua y proceda del mismo modo.

Paso a paso

Este procedimiento es un poco laborioso, ya que en realidad combina dos técnicas: el falso estuco y el rayado al aceite, para dar lugar a un resultado de gran elegancia capaz de realzar el mobiliario más sencillo. Sin ninguna duda, el esfuerzo merece la pena.

Material necesario para esta propuesta decorativa
- *veladura al aceite*
- *pintura al óleo en tono sombra natural*
- *nivel de burbuja*
- *regla, lápiz, paletina, paletina canaria*

Consejos

Esta es una técnica muy adecuada para ser aplicada como zócalo a un pasillo estrecho (hasta una altura de entre uno y un metro y medio), ya que consigue ensancharlo visualmente. Además, el rayado resulta mucho más fácil de realizar sobre una franja hasta media altura, ya que no hay que ir subiendo y bajando continuamente de la escalera.

 1

La pared sobre la cual aplicaremos el rayado debe estar previamente decorada con la técnica del falso estuco al aceite en el mismo tono sombra natural que emplearemos a continuación. Ello se debe a que este rayado se aplica sólo en franjas de 15 cm, que dejan entrever el fondo. Vea en el capítulo correspondiente cómo realizar el falso estuco.

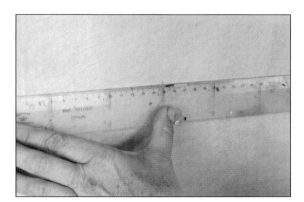

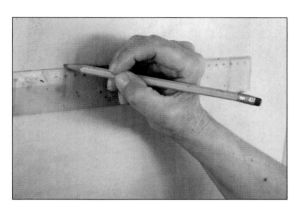

Marque la pared con puntos a intervalos de 15 cm.

Como veremos a continuación, la base sobre la que realizaremos estas marcas con el lápiz está pintada al aceite, por lo que no tendremos ninguna dificultad en borrarlas posteriormente.

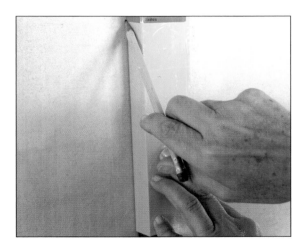

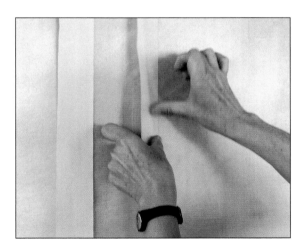

Trace unas verticales con el nivel de burbuja.

Coloque la cinta de pintor, siguiendo las líneas trazadas, para reservar las franjas que no deben pintarse.

Paso a paso

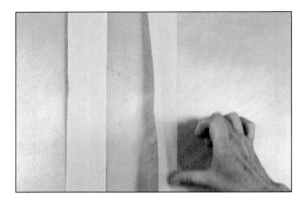

 6

Si considera que el adhesivo es demasiado fuerte y puede desconchar la pintura, adhiérala primero sobre un trapo.

 7

Una vez colocadas correctamente las cintas, se procede al rayado.
Para esta técnica, conviene que la consistencia de la veladura al aceite sea algo más espesa que la utilizada en el falso estuco, por eso se debe añadir un poco más de barniz.

 8

Sin cargar la paletina en exceso y dando pinceladas verticales, aplique veladura sobre la primera franja, cubriéndola en su totalidad.

 9

A continuación, deslice la paletina canaria bien seca, peinando la franja aún húmeda con un movimiento vertical ininterrumpido.
Repita los mismos pasos para pintar las demás franjas.

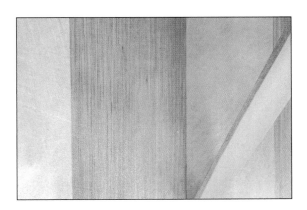

 10

Al final, una vez que se haya secado la veladura, retire con cuidado la cinta de pintor.

 11

Es conveniente arrancarla despacio, con una mano, y colocar los dedos de la otra mano encima de la cinta, justo en el punto en que ésta se está despegando. De este modo se evita el deterioro de la superficie.

Paso a paso _____

Esta es una técnica de fácil realización, que sugiere con mucho realismo el tejido de rafia. A la pared, así pintada, se le puede dar después cera amarilla. Así obtendrá un aspecto muy natural y acogedor, propio de los acabados con ceras.

Material necesario para imitar el tejido de rafia
· perrillo dentado
· veladura al agua teñida de color siena natural

Consejos

Para darle aún mayor verismo a esta técnica, pruebe a aplicar este efecto en un zócalo a media altura y remátelo con un listón o moldura de madera que recorra la pared.

Aplique la veladura con el perrillo dentado sobre una pared pintada con pintura plástica satinada de color blanco.

En primer lugar se trazan las líneas verticales.

A continuación se atraviesan perpendicularmente esas líneas con trazos horizontales.

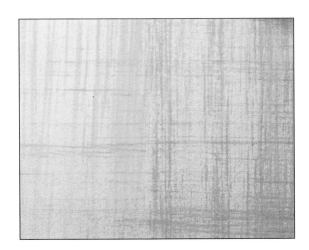

De este modo se obtiene una trama que se asemeja mucho al urdido de la rafia.

Paso a paso

El moiré es un estampado que se trabaja con algunas telas de seda gruesa o tafetán, debido al aplastamiento de sus fibras. Las aguas típicas del moiré se pueden imitar con un veteador de caucho y un mínimo de práctica con este instrumento.

Viendo el resultado final, resulta difícil creer que ésta sea una técnica sencilla y bastante rápida de llevar a cabo.

Material necesario para esta técnica
· *paletina*
· *veteador de caucho*
· *veladura al aceite, que habremos teñido con pintura al óleo color blanco de zinc*

Consejos

Mediante esta técnica se pueden obtener desde los resultados más elegantes hasta los más llamativos.

Pruebe a combinar un fondo y una veladura en dos colores complementarios: el resultado es realmente vistoso.

 1

Sobre un fondo azul grisáceo, aplique la veladura blanca en franjas verticales de aproximadamente un metro de anchura.

 2

Deslice el veteador de arriba abajo, sin detenerse, y efectuando simultánea-
mente algún movimiento de balanceo.

 3

De este modo se imitan las aguas del moiré.

 4

Utilice la paletina para difuminar las líneas dejadas por el veteador. Deslícela
muy suavemente, siguiendo las líneas verticales del dibujo, hasta que los trazos ya no sean tan netos. Pase ahora a aplicar la veladura en la siguiente
zona

Paso a paso

La imitación de la madera es uno de los clásicos de la pintura decorativa. Nosotros le proponemos decorar sus paredes con listones de pino, naturalmente... falsos. Parece una técnica difícil, pero, cuando la pruebe, se dará cuenta de que es sorprendentemente sencilla. Aplíquela también a muebles y otras superficies de aspecto anodino: el cambio es radical.

Material necesario
- *regla, lápiz, nivel de burbuja*
- *pintura ocre, veladura al aceite*
- *pintura al óleo en los tonos siena natural y siena tostada*
- *veteador de caucho, dos paletinas*

Consejos

Para familiarizarse con el veteador, le aconsejo que practique sobre una cartulina el gesto de deslizamiento y simultáneo balanceo que da lugar a la imitación de la madera. No abuse de los nudos, ya que se produciría un resultado poco realista.

 1

La pared debe estar previamente pintada con pintura plástica blanca. Sobre este fondo, se marcan unas franjas horizontales de 15 cm de ancho. Utilice un nivel de burbuja preferiblemente de material ligero, ya que le resultará más fácil de manejar. Coloque la cinta de pintor siguiendo las líneas trazadas, para delimitar la zona que se debe pintar.

 2

El fondo de los listones se pinta con pintura plástica satinada de color ocre. Cuando este fondo esté seco, tiña la veladura al aceite con la pintura al óleo color siena natural y aplíquela, con pinceladas algo aleatorias, sobre la franja ocre.

 3

Con la pintura al óleo siena tostada, se crean las ligeras diferencias de color propias de la madera de pino. Aplique aleatoriamente unas pinceladas en color siena tostada en diferentes zonas del listón.

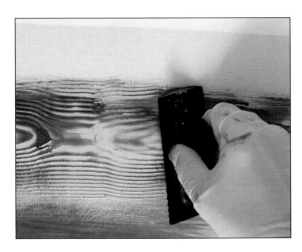

 4

A continuación, con el veteador de caucho, se forman las vetas características del pino. Deslice el veteador con un gesto decidido, balanceándolo ligeramente para que se dibujen los nudos. Si el dibujo de la veta resultara demasiado neto, se podría suavizar con una paletina, siguiendo la dirección del veteado. La pintura al aceite le permite, por su tiempo de secado lento, repetir la acción hasta lograr un resultado que sea de su agrado.

Paso a paso

Esta propuesta resulta muy adecuada para decorar paredes hasta media altura, formando un zócalo.

Pintar un zócalo con rombos, en colores alegres como los que le proponemos, puede cambiar radicalmente la cara a un pasillo aburrido.

Para llevarla a cabo, necesitará los siguientes materiales
- *veladura al agua en dos tonos: amarillo y ocre dorado*
- *esponja marina*
- *cinta de pintor*
- *nivel de burbuja largo, regla graduada, lápiz y goma*

Consejos

Los dibujos grandes, como los rombos que le acabamos de proponer, admiten variaciones de color.

No es recomendable, sin embargo, utilizar tonos dispares, ya que el resultado sería excesivamente llamativo. Combine tonalidades cercanas entre sí, o matices de un mismo color, como el azul y el verde, o el amarillo y el verde claro.

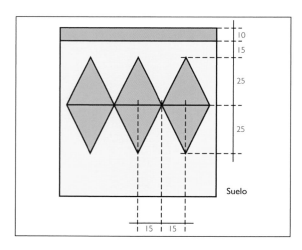

1

Mida la anchura de la pared y divídala en dos mitades iguales, marcando una vertical con el lápiz. A continuación, con un nivel de burbuja largo, trace una horizontal de extremo a extremo a la altura deseada. Una segunda horizontal, 10 cm por debajo, delimitará la franja superior del zócalo.
A 15 cm de esta franja se sitúan los vértices superiores de los rombos, que miden 50 cm de alto y 30 cm de ancho, tal como puede ver en el esquema.

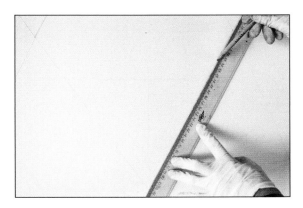

Vaya trazando con el lápiz los bordes de los rombos, así como las líneas que le puedan servir de referencia. Estas últimas tendrá que borrarlas, por lo que le aconsejo que no apriete demasiado.

Una vez tenga el dibujo en lápiz, proteja la parte superior del muro con una cinta de pintor y proceda a realizar un esponjado en amarillo sobre la totalidad de la superficie.

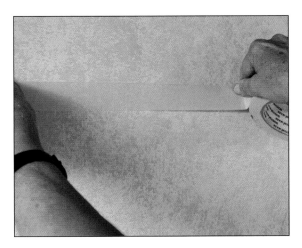

Recuerde que, si la cinta de pintor pega demasiado y desconcha la pintura, puede pegarla primero sobre un trapo, para que pierda parte de su adherencia.

Una vez seco este esponjado, tendrá que aplicar una segunda veladura en tono ocre dorado en el interior de los rombos y en la franja superior. Para ello, delimite con la cinta de pintor todas aquellas zonas que deben permanecer amarillas, siguiendo los trazos del lápiz.

Paso a paso

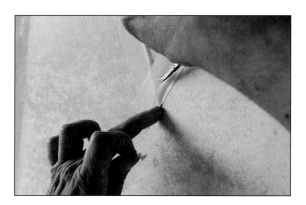

6

Delimite con precisión las zonas correspondientes a los vértices de los rombos.

7

Para cortar con exactitud la cinta que enmascara el vértice del rombo, utilice un cúter afilado. No ejerza demasiada presión, ya que podría rayar la pared.

8

Proceda a aplicar la veladura ocre dorado con la esponja, tal como ya ha hecho anteriormente con el amarillo.

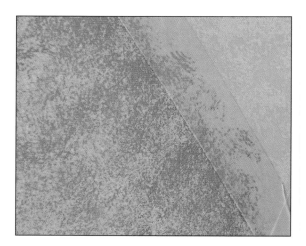

9

Para la realización de esta propuesta decorativa, la cinta de pintor es de inestimable ayuda, ya que evita que se ensucien las zonas previamente pintadas. Tratándose de un esponjado, como en este caso, las divisiones netas de color no se podrían conseguir de otra manera.

 10

Cuando esta veladura esté seca, podrá retirar con cuidado la cinta de pintor y admirar el resultado final.

 11

En este detalle de la parte superior del zócalo se puede apreciar la nitidez de las líneas conseguidas recurriendo a la cinta de pintor, así como la armonía entre las dos tonalidades escogidas.

Paso a paso _____ 14. Falso ladrillo

El aspecto de una pared de ladrillos puede variar mucho en función de su antigüedad y de la cocción de los ladrillos, así como de su disposición en las hiladas –lo que se denomina aparejo–.

Materiales necesarios

- *veladura al agua en los colores ocre dorado, rojo óxido, gris claro y negro*
- *pinturas para estarcir en tonos sombra tostada, blanco, y negro*
- *diluyente al agua, esponjas, pincel fino y pincel de estarcir, salpicador*
- *acetato, nivel de burbuja, regla, lápiz*

Consejos

En vez de utilizar tiras de acetato, se pueden delimitar los ladrillos colocando cinta de pintor en los intersticios correspondientes al cemento.

En este caso, no obstante, es importante utilizar cinta de la anchura adecuada (unos 5 mm), que puede resultar algo difícil de encontrar.

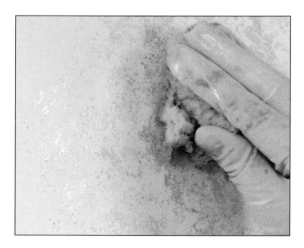

Sobre un fondo de pintura plástica satinada de color ocre, se llevan a cabo dos esponjados sobrepuestos. En primer lugar, con la veladura ocre dorado.

 2

Tenga la precaución de mojar siempre la esponja antes de aplicar la veladura, y de limpiarla cuando tenga que cambiar de color.

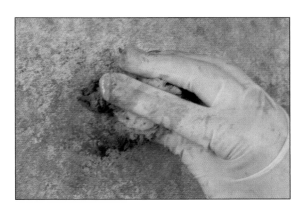

 3

En segundo lugar, sobre la veladura ocre dorado, aplique otro esponjado, en color rojo óxido.

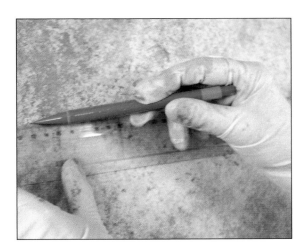

 4

A continuación, marque con el lápiz las líneas que delimitarán los ladrillos. Los más comunes, que hemos tomado como referencia, miden 25 x 9,5 cm. Recuerde que, como en cualquier pared bien construida, las hiladas se colocan desfasadas una sobre otra. Utilice el nivel para señalar una horizontal perfecta.

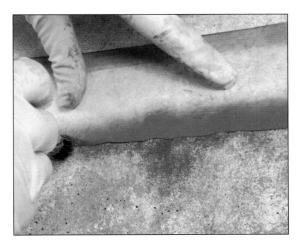

 5

Coloque la tira de acetato sobre las líneas marcadas. Con el color sombra tostada, pinte describiendo movimientos circulares con el pincel de estarcir bien escurrido. De este modo, se insinúa el volumen del ladrillo.
Si quiere imitar ladrillo viejo, como en este caso, corte el acetato de forma un poco irregular.

Paso a paso

 6

Una vez hecho esto sobre todos los ladrillos, aplique un ligero esponjado con la veladura gris claro.

 7

A continuación, con el gris y la pintura blanca y negra diluidas, se perfilan los ladrillos, creando efectos de relieve.

 8

Detalle de creación de efectos de relieve.

 9

Si desea imitar un muro viejo y erosionado dibuje pequeñas grietas con el negro y el blanco diluidos.

 10

Realze con el blanco pequeñas grietas, para dar un efecto más real.

 11

El aspecto poroso de los ladrillos antiguos se consigue salpicando un poco de veladura negra con la herramienta específica: el salpicador. En caso de no disponer de él, se puede sustituir por un pincel de cerdas cortas y recias, o bien por un cepillo de dientes. Esta técnica proporciona un acabado muy adecuado para ambientes rústicos.

 12

Las paredes de ladrillo, ya sea por su tonalidad cálida o por lo tradicional del material, resultan siempre muy acogedoras.

Paso a paso

Esta técnica, correctamente aplicada, proporciona a las paredes convencionales un aspecto radicalmente distinto, ya que les da la apariencia de un muro formado por bloques de piedra.

Pese a que su realización es sencilla, requiere una cierta observación. Por ello le aconsejo que, antes de empezar, examine con detenimiento algunos ejemplos del natural, y que no tenga reparos en ayudarse con fotografías.

Materiales

· *veladura al agua teñida en dos tonos diferentes: ocre amarillo y gris claro, de tono cálido, pintura acrílica negra y blanca, diluyente al agua, esponja marina*

· *pincel de estarcir, pincel fino, nivel de burbuja, regla, lápiz, goma*

Consejos

Si quiere dar un toque personal a la pared de piedra, ¿por qué no graba una inscripción en bajorrelieve? Unos números romanos, una frase en latín...

Con los colores blanco y negro diluidos, y tomando como modelo unas letras del mismo tamaño, le resultará fácil crear este efecto de trampantojo.

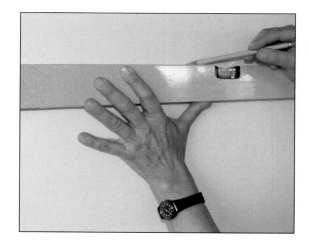

 1

La pared debe estar preparada con pintura plástica satinada de color blanco. No importa que presente alguna irregularidad o relieve, ya que la piedra que se pretende imitar tampoco es un material perfectamente liso.
En primer lugar, con el nivel, la regla y el lápiz, hay que dibujar los rectángulos que, por efecto de la pintura, se transformarán en bloques de piedra.

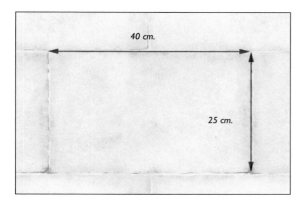

 2

Cada losa mide 40 x 25 cm. Vaya intercalando las hiladas como si se tratara de ladrillos.

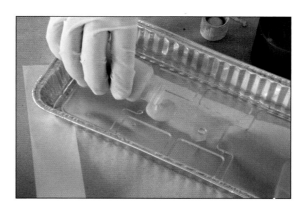

 3

Una vez marcadas las losas, tiña parte de la veladura al agua con el color gris claro. Puede emplear también una mezcla de blanco, negro y ocre. En ningún caso utilice grises que tiendan a azulados.

 4

Con la esponja mojada, aplique un esponjado sobre toda la superficie, evitando que la veladura gotee.

 5

La veladura gris debe repartirse sobre toda la pared de modo bastante homogéneo, ya que éste será el color predominante de nuestro muro antiguo.

Paso a paso

 6

Sobre esta base, aplique una segunda veladura en color ocre. Para impregnar la esponja de color puede optar por sumergirla directamente en la veladura, o bien por cargar un pincel y "pintar" con él la superficie de la esponja.

 7

De esta manera, los poros permanecen secos y se obtiene una textura más punteada.

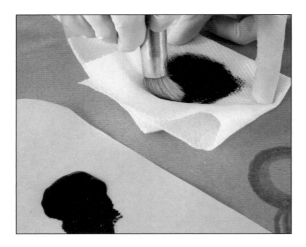

 8

Una vez que tengamos la pared seca, con los dos esponjados superpuestos, se procede a imitar el relieve y las fisuras de los bloques de piedra, con pintura negra y pincel de estarcido.

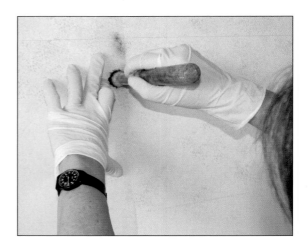

 9

Corte un trozo de acetato con un borde ligeramente irregular y sitúelo sobre una de las rayas marcadas con el lápiz. Moje el pincel de estarcir en pintura negra, escúrralo a conciencia sobre un papel de cocina y pinte con movimientos circulares los bordes de las losas, creando un sombreado.

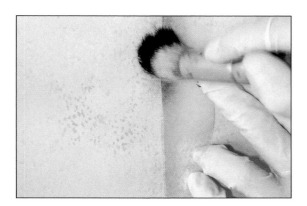

 10

El borde irregular del acetato será el que delimitará los bloques de piedra, creando a su vez intersticios entre una losa y otra.

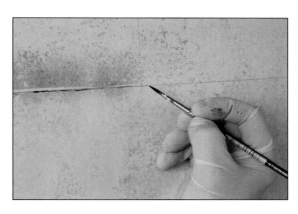

 11

El siguiente paso consiste en imitar los huecos existentes entre los bloques de piedra, así como las posibles fisuras y grietas. Para ello, diluya ligeramente la pintura negra y pinte con ella unas líneas discontinuas a mano alzada, sirviéndose del pincel fino.

 12

Para completar el efecto de relieve, pinte unas líneas blancas sobre las aristas de las losas de piedra que se suponen iluminadas por la luz solar. Estas pinceladas, trazadas con el pincel fino y pintura blanca diluida, deben ser apenas perceptibles.

Las paredes de piedra cambian de modo sorprendente el aire de una estancia, confiriéndole un aura de antigüedad.

Paso a paso

El granito es una roca compuesta por cuarzo, feldespato y mica, muy apreciada en la construcción por su gran dureza. Siguiendo paso a paso nuestras indicaciones, usted puede imitar este material con mucha facilidad. Como por milagro, conseguirá transformar en roca las superficies más insospechadas.

Para imitar de modo convincente el granito gris
· una esponja marina
· veladura al aceite en cuatro colores distintos. Para teñirla hemos empleado pinturas al óleo en los siguientes tonos: sombra natural, gris Payne, negro marfil y blanco de zinc

Consejos

Si lo prefiere, puede imitar otras variedades de esta roca, como el granito rosa, utilizando veladura al aceite en los tonos adecuados. En cualquier caso la base al aceite y el barnizado final hacen que esta técnica sea aplicable a superficies que deban ser resistentes e impermeables, como las paredes de cocinas o baños. Finalice su trabajo con una capa de barniz brillante sobre toda la superficie. ¡El resultado será casi tan fuerte y duradero como el auténtico granito!

 1

La pared debe presentar un aspecto muy liso y estar pintada en un tono gris azulado, obtenido con la mezcla de blanco, negro y azul ultramar.
Sobre esta base, aplique la primera veladura mediante la técnica del esponjado. La veladura que se obtiene con el color sombra natural es de color gris medio, con una dominante cálida.

 2

Aplique a continuación un segundo esponjado con la veladura color gris antracita, que habrá conseguido con el gris Payne.

 3

El tercer esponjado se realiza con la veladura negra. Aplíquela de forma algo más espaciada que las anteriores, intentando recrear el aspecto del verdadero granito.

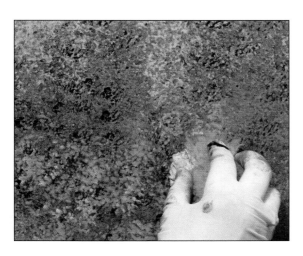

 4

Finalmente, para imitar las partículas brillantes que contiene esta roca, lleve a cabo un último esponjado con veladura blanca.

Puede sustituir este color por el plateado, ya que el efecto que se busca es añadir puntos de gran luminosidad.

Paso a paso ────────

El travertino es un tipo de piedra caliza, de color claro, que se caracteriza por un veteado sinuoso, fruto del depósito calcáreo de ciertas aguas. Es un material muy apreciado en decoración, que, con un poco de habilidad y pintura, puede imitarse de forma realista.

Necesitará los siguientes materiales

· *veladura al aceite sin pigmentar*
· *pintura al óleo en los colores gris Payne, marrón Van Dyck, sombra natural, sombra tostada*
· *paletina, pluma, aguarrás, trapo, unidor de pelo de tejón, un trozo de cartón*

Consejos

Como alternativa, puede imitar una pared formada por lastras de travertino. Para ello, dibuje con lápiz unas piezas rectangulares de tamaño grande.

Cree reservas con la cinta de pintor y pinte cada lastra individualmente, siguiendo las indicaciones dadas y veteando cada una de ellas vertical u horizontalmente, de forma aleatoria.

 1

Sobre una pared pintada con esmalte brillante de color blanco, extienda una capa de veladura incolora al aceite.

2

Poniendo en la paletina un poco de pintura al óleo, dé pinceladas verticales sobre la veladura húmeda. Vaya alternando los colores sombra, gris y marrón.

3

Los colores deben ir solapándose, de forma aleatoria sin cargar demasiado el pincel.

4

Retire el exceso de veladura frotando verticalmente con un trapo. Esto dará lugar también a un ligero rayado de la superficie.

5

A continuación, tome un trozo de cartón (los que van mejor son los de las cajas de cereales o galletas) y córtelo con los dedos formando un borde irregular. Deslice este borde sobre la pintura húmeda, imitando las ondulaciones características del travertino. En este caso, como puede ver, el mejor resultado se consigue con una herramienta nada sofisticada.

Paso a paso

El siguiente paso consiste en difuminar el veteado, cruzándolo en perpendicular.

Para ello, utilice el unidor de pelo de tejón y páselo, con un movimiento pendular, hacia un lado y hacia el otro, sin apenas presionar la superficie.

Las manchas blanquecinas que presenta esta piedra se consiguen mojando una pluma de ave en un poco de aguarrás.

Con la pluma un poco escurrida y puesta de perfil, se dan ligeros toques sobre la pared.

 10

La pequeña mancha que se forma al principio se ensancha enseguida, ya que el aguarrás es un disolvente de la pintura al óleo.

 11

Vuelva a difuminar con el unidor de pelo de tejón, siempre en sentido transversal al veteado.

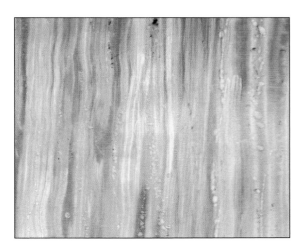

 12

Algunos travertinos presentan un ligero moteado, fácilmente imitable con una pequeña cantidad de pintura negra y la pluma ladeada, utilizándola tal como lo ha hecho anteriormente para aplicar el aguarrás.

Paso a paso ———————

Para llevar a cabo el estampado de una pared hay que elegir un motivo sencillo, que se repetirá a intervalos regulares mediante la técnica del estarcido.

Materiales necesarios
· *plantilla de papel de poliéster, pincel para estarcir*
· *pintura especial para estarcido de color naranja*
· *nivel de burbuja, metro, lápiz, goma, papel absorbente*
· *adhesivo reposicionable en spray*

Consejos

El estampado admite infinidad de variantes en función del motivo elegido. Aunque es preferible que éste sea sencillo, no necesariamente tiene que ser monocromo: también se puede realizar un estampado en dos colores, combinando dos plantillas, sin que el proceso se complique en exceso.

 1

Le resultará muy fácil hacer su propia plantilla a partir de algún dibujo o estampado que sea de su agrado.
Utilice la fotocopiadora para modificar la escala del dibujo, si fuera necesario, y calque el motivo sobre papel de poliéster.

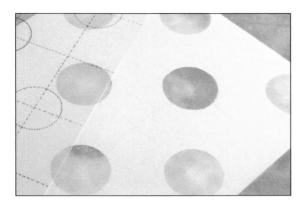

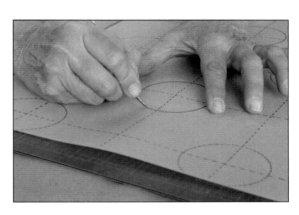

 2

Tenga en cuenta el espacio que desea dejar como separación entre un motivo y otro, ya que en la plantilla deberá dibujar unos cuantos, correctamente dispuestos. Marque con trazos discontinuos las líneas de referencia que necesite para reposicionar correctamente la plantilla.

 3

A continuación, recorte las líneas continuas del dibujo. Si lo hace con un cúter, tenga la precaución de cortar siempre en dirección a usted, ya que de este modo no perderá el control de la herramienta.

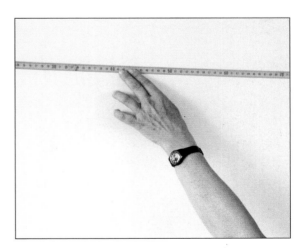

 4

También puede emplear unas tijeras finas.

 5

Con el fin de repartir el estampado de manera simétrica, es necesario empezar a estampar sobre una línea central que divida la pared en dos mitades. Para ello, mida la pared con un metro y marque el punto medio.

Paso a paso

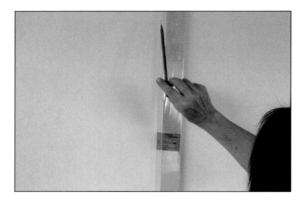

 6

Seguidamente, trace la vertical con la ayuda de un nivel de burbuja. Utilice un lápiz con la mínima presión, para que se pueda borrar fácilmente.

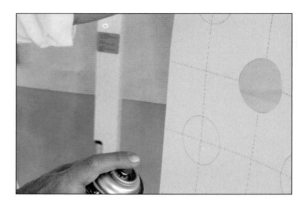

 7

Pulverice el adhesivo reposicionable sobre el dorso de la plantilla.

 8

El spray, de gran utilidad a la hora de trabajar con plantillas, evita que éstas se desplacen y hace que los motivos del estampado cuadren perfectamente.

 9

Sitúe la plantilla sobre la línea trazada con el lápiz, colocando el motivo en el punto más alto en que desea estampar.

 10

Borre con una goma la línea que queda dentro del espacio que va a pintar.

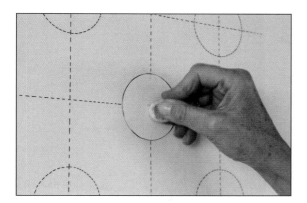

 11

Moje el pincel en la pintura naranja...

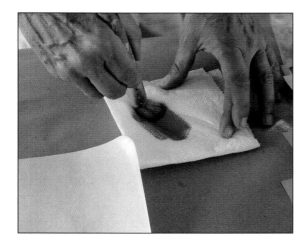

 12

...y escúrralo bien sobre un papel absorbente de cocina. Para estarcir correctamente, las cerdas del pincel deben parecer casi secas.

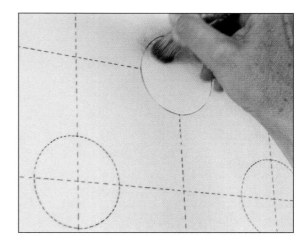

 13

Pinte con movimientos circulares, ejerciendo una presión uniforme con el pincel. Para obtener un resultado con mayor relieve, insista más en los bordes del dibujo y deje otras áreas sin apenas cubrir.

Paso a paso

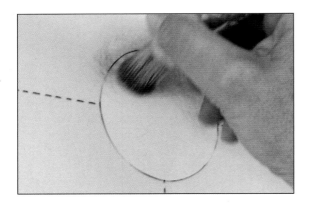

 14

Vaya desplazando la plantilla hacia abajo, hasta cubrir la altura deseada.

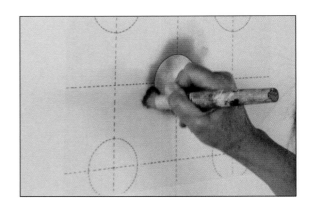

 15

En primer lugar, a medida que los vaya pintando, forme con los motivos una fila vertical, siguiendo la línea trazada con lápiz y recordando siempre que hay que ir borrándolo de las zonas que van a ser pintadas, ya que de lo contrario, el trazo resulta evidente.

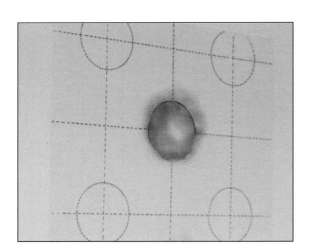

 16

En este detalle se aprecia cómo, mediante un mayor sombreado de los bordes, el dibujo adquiere relieve.

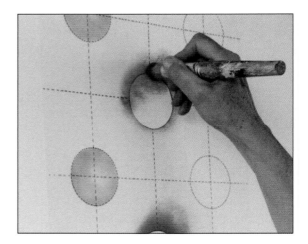

 17

Una vez que haya llegado al extremo inferior de la vertical marcada, desplace la plantilla hacia un lado y vaya pintando el motivo de techo a suelo, como anteriormente.

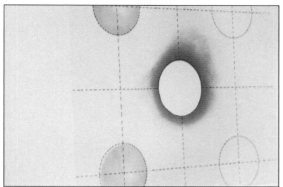

 18

Los círculos dibujados como referencia sobre la plantilla resultan muy útiles para que ésta se pueda reposicionar con exactitud, superponiéndolos a los que ya se han pintado en la pared.

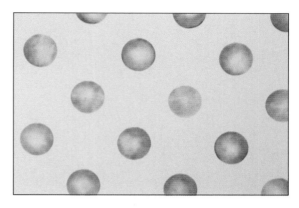

 19

Es aconsejable que de vez en cuando compruebe la vertical con el nivel de burbuja, ya que un pequeño error se iría acumulando y podría resultar muy evidente.

Paso a paso

19. Damasco

El damasco es una técnica mixta que combina el estampado con plantillas de estarcir sobre un fondo drapeado.

El damasco así obtenido carece de la excesiva solemnidad con la que a menudo se le asocia. Un cierto desfase a la hora de reposicionar las plantillas puede resultar incluso atractivo, por desvelar lo artesanal del procedimiento.

Materiales necesarios para este acabado decorativo
* *veladura al agua blanca*
* *veladura al agua rojo óxido*
* *pinceles especiales para estarcir*
* *plantillas*

Consejos

La mejor fuente de documentación para realizar nuestra propia plantilla de damasco se encuentra en las tiendas de tejidos.

Tomando como modelo un estampado en damasco presente en nuestro hogar, podremos incluso coordinar las paredes con la tapicería del sofá o los cortinajes. Para ello, calque directamente en papel de poliéster el motivo que desea reproducir en la pared.

 1

La pared sobre la cual trabajaremos debe estar previamente drapeada en color siena tostado. Vea en el apartado dedicado al drapeado cómo conseguir esta base.

Sumerja el pincel de estarcir en la veladura blanca. La técnica del estarcido requiere que el pincel esté impregnado de forma totalmente homogénea.

Elimine a continuación el exceso de pintura sobre un papel absorbente. Procediendo de este modo, el pincel repartirá de manera uniforme la veladura y no producirá manchas.

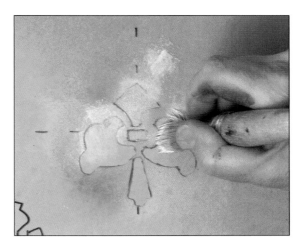

El estarcido debe iniciarse por el centro de la pared, para que el estampado se distribuya de forma simétrica. Debe pintarse, en primer lugar, el motivo que se sitúa más en lo alto de la pared, para luego mover la plantilla hacia abajo y hacia los lados, siempre superponiendo los registros.

Una vez hallado el punto de inicio, coloque la primera plantilla con un adhesivo reposicionable en spray.
Pinte la flor de lis en primer lugar con la veladura blanca, efectuando movimientos circulares con el pincel.

Paso a paso

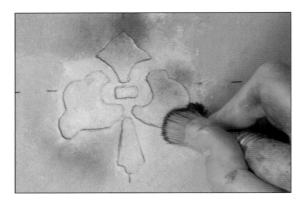

 6

Cuando tenga la pared cubierta de flores blancas, reposicione la plantilla y repita el proceso con la veladura rojo óxido.

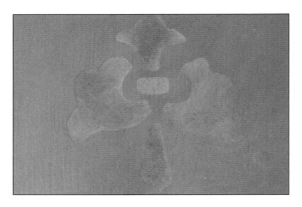

 7

Los colores deben quedar distribuidos de forma algo fortuita, formando aguas. De este modo, se reproduce el brillo característico del damasco.

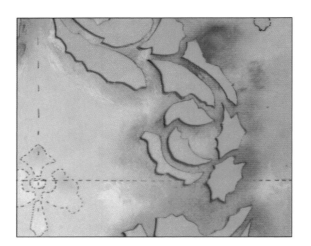

 8

Para completar el motivo, coloque a continuación la plantilla de la guirnalda, tomando como registro las flores de lis que están dibujadas en esta segunda plantilla.

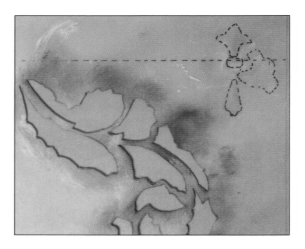

 9

La flor dibujada como referencia en la plantilla debe quedar superpuesta a la ya pintada anteriormente sobre la pared.

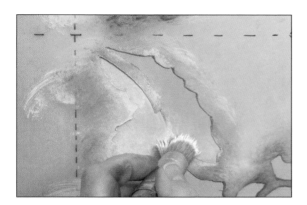

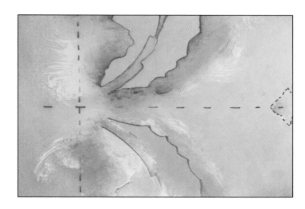

 10

Pinte en primer lugar con la veladura blanca y después con la roja, repitiendo el proceso seguido para el estarcido de las flores de lis.

 11

Cuando se pretende cubrir con dibujos estampados la totalidad de una pared, es básico que la plantilla esté correctamente realizada y en ella se indiquen, con líneas discontinuas, todas las referencias necesarias para su correcto posicionamiento.

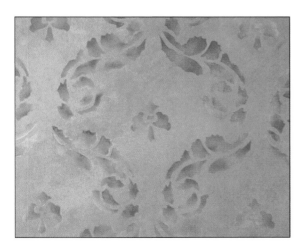

 12

Por el resultado obtenido, no es difícil adivinar que esta técnica fue en su momento un humilde sustituto del tapizado de paredes. Actualmente puede considerarse como una alternativa muy interesante al papel pintado.

Paso a paso

Este acabado se realiza con la técnica del estarcido, tomando como motivo unos azulejos populares. Consigue crear en nuestras casas el ambiente de un patio andaluz y puede ser aplicado también, con varias capas de barniz, sobre una mesa.

Siguiendo las pautas que le indicamos para la obtención de las plantillas, usted podrá reproducir otras muestras, así como crear sus propios mosaicos.

Materiales necesarios

· papel de poliéster, nivel de burbuja
· metro, regla, lápiz, goma, pinceles para estarcir
· spray adhesivo reposicionable, pinturas para estarcir en tonos ocre, verde bosque y negro, paletina, barniz de poliuretano

Consejos

Si quiere dar un aire aún más antiguo a las baldosas, apliqueles un ligero esponjado con una veladura en tono blanquecino antes de proceder a barnizarlas, en este caso es mejor utilizar un barniz satinado que uno brillante.

Le resultará muy fácil hacer sus propias plantillas a partir de dibujos, catálogos de mosaicos, o bien copiándolos del natural. Con ello, además de disponer de un campo temático ilimitado, conseguirá un resultado muy personal.
En nuestro caso, los motivos elegidos se han copiado de una fotografía. Con la fotocopiadora se ha ampliado la escala del original, hasta que el tamaño de los azulejos ha resultado el adecuado.

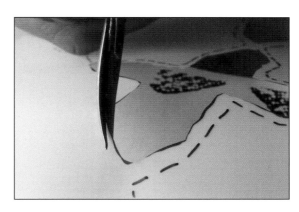

 2

Sobre la fotocopia, y con papel de poliéster, se calcan tres plantillas.
Dibuje con línea continua los motivos que van a ser recortados, y con línea
discontinua las referencias que le servirán para posicionar correctamente las
plantillas.

 3

Recorte las plantillas con cutter o tijeras finas. Los recortes de las diferentes
baldosas no deben encajar entre sí, ya que se pretende simular el intersticio
correspondiente al cemento que las une. Asimismo, para dar la sensación de
baldosas rústicas, el recortado debe hacerse de forma un poco irregular.

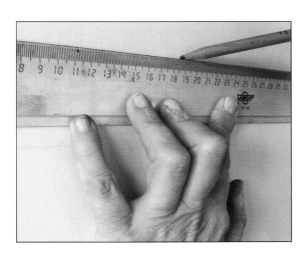

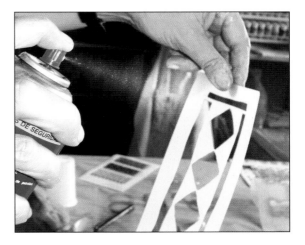

 4

Con el nivel y la regla, trace en la pared una línea horizontal que servirá para
delimitar el motivo. En este caso, hemos pintado un zócalo a media altura.

 5

Pulverice con el adhesivo en spray la primera plantilla, correspondiente a la
cenefa del borde.

Paso a paso

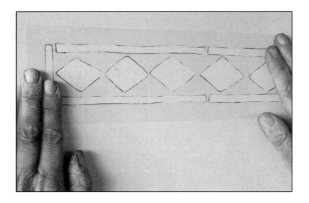

Sitúela en una esquina...

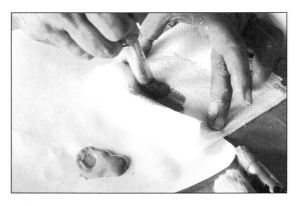

...y pinte los azulejos en forma de rombo, con la pintura ocre, describiendo círculos con el pincel de estarcir bien escurrido.

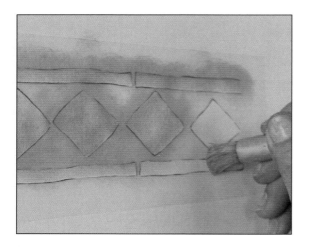

Vaya desplazando la plantilla, hasta que la superficie quede totalmente delimitada por este borde.

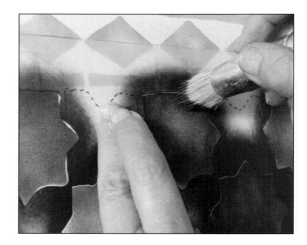

A continuación, coloque la plantilla correspondiente a las baldosas en forma de estrella y píntelas con pintura para estarcir de color verde. Añada de vez en cuando unas gotitas de negro a la pintura, con el fin de simular el envejecimiento del alicatado.

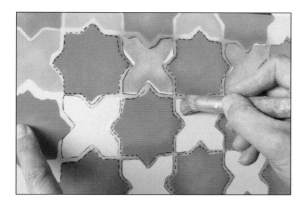

 10

Finalmente, proceda a pintar los motivos en forma de aspa con pintura ocre, haciendo coincidir las líneas discontinuas del papel de poliéster alrededor de las estrellas verdes ya pintadas.

 11

Una vez que esté seca la pintura, aplique una capa de barniz de poliuretano brillante sobre el área pintada.

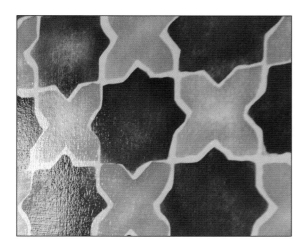

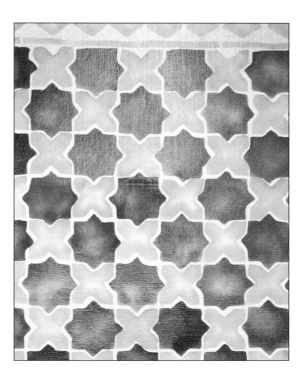

 12

De este modo, además de imitar el brillo de los azulejos, se protege y endurece la superficie.

Paso a paso

Con la técnica del estarcido sin puentes es posible imitar una celosía con plantas trepadoras de modo convincente y sin que sea necesario ser un gran dibujante. Al confeccionar las plantillas de las hojas, es conveniente guardar íntegras las partes que se recortan, para poderlas emplear como guardas. Cubra las hojas que deben aparecer en primer término con sus respectivas guardas. Coloque encima la plantilla de otra hoja, solapándola a la guarda, y píntela según se ha descrito. Al retirar la plantilla y la guarda, podrá comprobar que ésta ha resguardado perfectamente la hoja pintada en primer lugar.

Materiales

· *veladura al agua en color sombra tostada, pintura para estarcir en tonos ocre amarillo, azul celeste, rojo burdeos, verde oliva, verde oscuro y marrón, papel de poliéster, adhesivo reposicionable en spray, pinceles para estarcir de diferentes tamaños, pincel fino, papel absorbente*

Consejos

Si observa atentamente la naturaleza, podrá conseguir resultados de gran verismo. Recuerde que, si quiere decorar con esta técnica una pared expuesta a la intemperie, es necesario ultimar el trabajo con varias capas de barniz mate. Le aconsejo que consulte revistas especializadas o catálogos de muebles de jardín para inspirarse y optar, en función del espacio de que disponga, por una de las múltiples formas de celosía que pueden decorar su pared.

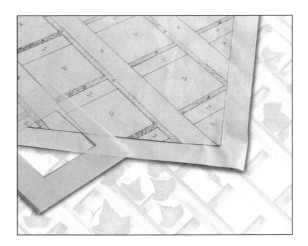

La técnica del estarcido sin puentes consiste en pintar con diversas plantillas que se superponen para reproducir un motivo complejo. Una correcta planificación de las zonas que hay que recortar en cada una de ellas permite obviar los puentes que resultarían visibles en caso de pintar con una única plantilla, obteniendo así un efecto más realista.
Para realizar las diferentes plantillas que reproducirán la celosía hay que partir de un dibujo de la misma, a tamaño natural.

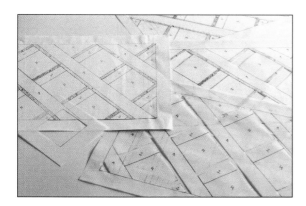

 1

Calque sobre una lámina de papel de poliéster el dibujo completo y recorte las áreas correspondientes a la parte frontal de los listones a 45°.
Sobre el papel de poliéster, las zonas del dibujo no recortadas deben señalarse con líneas discontinuas. Sirven como referencia para el correcto posicionamiento de cada una de las plantillas.

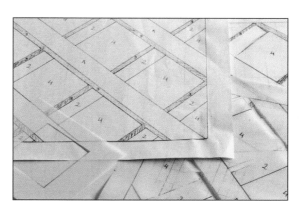

 2

El mismo dibujo deberá calcarse en una segunda plantilla, de la cual se recortará la parte frontal de los listones que cruzan perpendicularmente, en segundo plano, a los anteriores. La tercera plantilla será la correspondiente a las partes que, en el dibujo, confieren volumen a los listones de madera. Por último, en una plantilla más pequeña, se calca el cuadrado que forman los listones de la celosía al entrecruzarse.

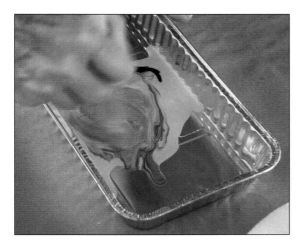

 3

Prepare la veladura al agua con el color sombra tostada.

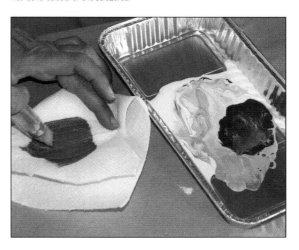

 4

Sumerja el pincel en la veladura y páselo sobre un papel absorbente.

Paso a paso

 5

Una vez situada la primera plantilla sobre la pared, pinte los listones, siguiendo la dirección de la veta de la madera.

 6

Desplace la plantilla hasta que el dibujo cubra la totalidad del área que desea pintar.

 7

A continuación, coloque la segunda plantilla, siguiendo las pautas de la primera. Pinte con la misma veladura, siempre en dirección de las fibras de la madera.

 8

Pinte con la misma veladura, siempre en dirección de las fibras de la madera.

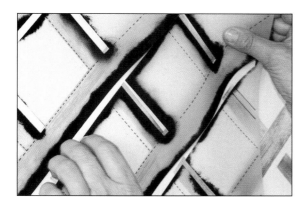

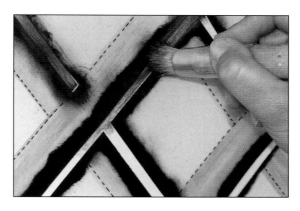

 9

Posicione ahora la tercera plantilla, prestando especial atención a las líneas de registro.

 10

Con el fin de dar mayor ilusión de profundidad al dibujo, la veladura sombra tostada tiene que resultar algo más oscura en esta zona, lo cual se consigue aplicando más presión al pincel.

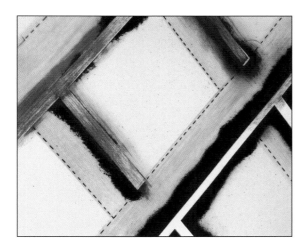

 11

Una vez haya pintado con las tres plantillas, la pared debe reproducir, de forma verosímil, el entramado de la celosía. Si fuera necesario, ahora podría retocar las irregularidades debidas al desfase entre plantillas con la ayuda de un trozo de papel de poliéster.

 12

El siguiente paso consiste en pintar un cielo como fondo de la celosía, utilizando la plantilla correspondiente al hueco cuadrado entre los listones. Aplique la pintura azul sin diluir, escurriendo muy bien el pincel sobre el papel absorbente y describiendo movimientos circulares.

Paso a paso

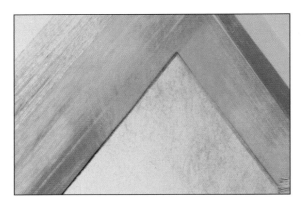

 13

No cubra todas las zonas de forma homogénea, ya que ello proporcionaría un aspecto plano a la pintura.

 14

Finalmente, tomando como modelo la hiedra, la parra u otras plantas trepadoras, confeccione varias plantillas que reproduzcan sus hojas y tallos. Vaya colocando estas plantillas de forma algo aleatoria, siguiendo líneas sinuosas como las que describen las plantas al emparrarse.

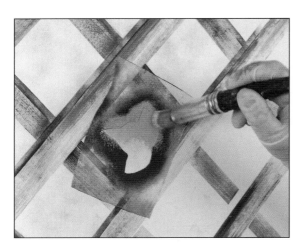

 15

Aplique la pintura de color ocre amarillo cargando un poco más el pincel y con la técnica del picado, es decir, golpeando perpendicularmente la superficie. De este modo se cubre perfectamente la pintura del fondo y no hay riesgo de que la hoja parezca transparente.

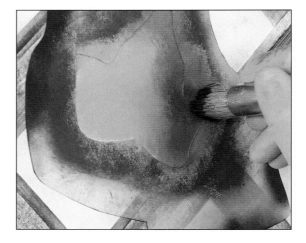

 16

Sobre esta base de tono amarillento, la hoja se pinta luego en tonos verdes o burdeos, según la planta que se desee imitar, matizando el color con movimientos circulares del pincel.

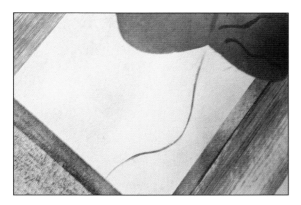

 17

Los tallos se pintan en tonos algo más oscuros, ya sea con plantillas o a mano alzada.

 18

Para acabar, se pintan a mano alzada las nervaduras de las hojas, empleando un pincel fino y pintura marrón diluida.

Paso a paso

La técnica del papel de seda produce un acabado en relieve que, además de resultar decorativo de por sí, disimula las posibles imperfecciones de la superficie.

Para decorar una pared con papel de seda
· *cola vinílica, paletina*
· *rodillo, papel de seda, veladura al agua en tono sombra tostada*
· *pátina marrón antiguo*

Consejos

Para conferir una mayor textura al acabado, arrugue el papel de seda y después extiéndalo antes de aplicarlo. De este modo se crearán pequeños surcos en la superficie.

Aunque anteriormente se ha dicho que las paredes deben estar siempre lisas y libres de defectos, algunos acabados decorativos también se pueden aplicar sobre paredes no tan perfectas.

 1

Vierta en un recipiente una cantidad de cola suficiente para recubrir el área a tratar.

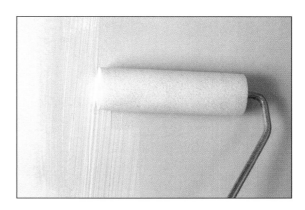

 2

Aplique una capa de cola vinílica sobre la pared sirviéndose de una paletina.

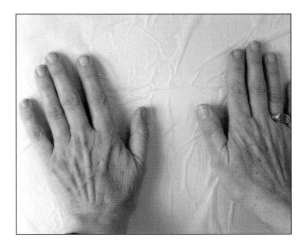

 3

Extienda la cola con un rodillo adecuado para que se distribuya uniformemente sobre la zona.

 4

A continuación, aplique las hojas de papel de seda, superponiendo los márgenes, hasta cubrir la superficie.

 5

Arrugue ligeramente el papel con las manos hasta que presente un relieve ligero y uniforme.

Paso a paso _____

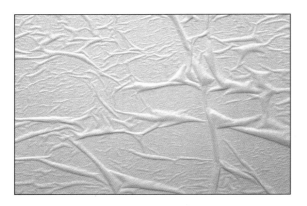

 6

Deje secar completamente la cola vinílica según el tiempo indicado en el bote.

 7

Cuando se haya secado la cola, aplique una capa de látex sobre toda la superficie para que la veladura no sea absorbida por el papel.

 8

Proceda a extender la veladura sombra tostada sobre la pared ya seca.

 9

Trabaje por zonas de aproximadamente un metro cuadrado, ya que la veladura al agua tiene un tiempo de secado bastante breve.

 10

Mientras está todavía húmeda, retire el exceso de veladura con un trapo. De este modo, se acentúan los relieves formados por el papel de seda. El resultado es realmente interesante.

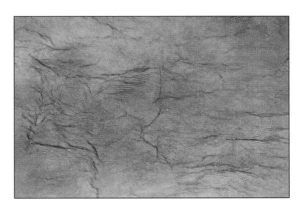

 11

Si termina este proceso con una pátina marrón antiguo, la superficie adquiere un aspecto envejecido.

El mismo procedimiento, en color gris, tiene la apariencia de piel de elefante.

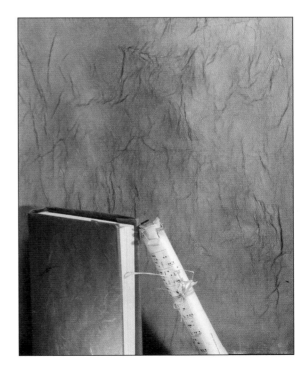

Paso a paso

Este singular procedimiento da lugar, a su vez, a un acabado realmente original, con tonos cálidos y una textura muy interesante.

Necesitará los siguientes materiales
· papel **craft**, látex, cola vinílica
· paletina, llana de plástico
· veladura al agua teñida en los colores siena tostado y sombra tostado
· pátina al óleo marrón antiguo, trapo

Consejos

Evite aplicar este procedimiento en habitaciones enteras: resulta mucho más agradecido en zócalos a media altura o paneles. Si utiliza veladuras en dos tonos de granate, la superficie resultante tiene un aspecto final muy cálido, parecido al cuero.

1

*En primer lugar, extienda el papel **craft** y píntelo con el látex.*

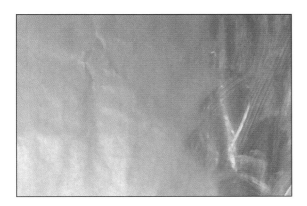

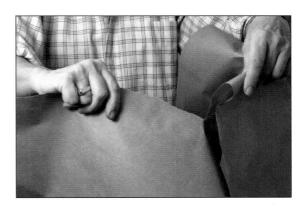

2

Calcule que necesitará una cantidad de papel doble a la superficie de pared que tiene que decorar.

3

Una vez seco el látex, rompa el papel en trozos irregulares. El tamaño de los trozos está en función de sus preferencias, así como de la extensión de la pared. Evite utilizar trozos grandes en paneles o áreas muy pequeñas, y viceversa.

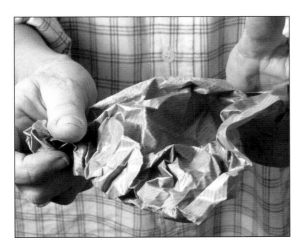

4

Arrugue los papeles.

5

Ábralos posteriormente. Una vez extendidos, presentarán una acusada textura.

Paso a paso

Prepare una veladura en tono sombra tostado, tal como se le indica en el capítulo correspondiente a la veladura al agua.

Pinte con esta veladura algunos de los trozos de papel imprimados con látex.

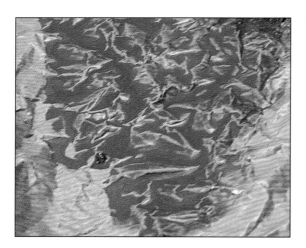

Las arrugas del papel serán las encargadas de formar el relieve característico que esta técnica presenta.

A continuación, prepare una veladura de color siena tostado.

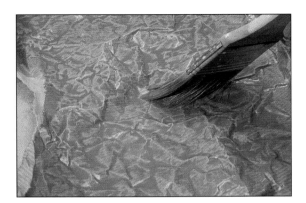

 10

Pinte con este color los restantes trozos de papel.

 11

El color siena tostado armoniza perfectamente con el sombra tostado utilizado anteriormente. No es conveniente emplear tonos demasiado alejados entre sí, ya que el efecto final no sería el que se pretende.

 12

Con una paletina vieja, extienda cola vinílica sobre el dorso de un trozo de papel.

 13

Aplíquelo sobre la pared.

Paso a paso

 14

Extiéndalo bien...

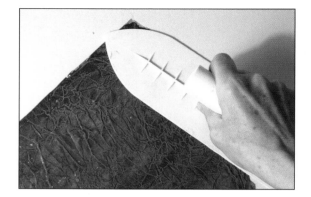

 15

...y pase la llana de plástico por encima para alisar la superficie.

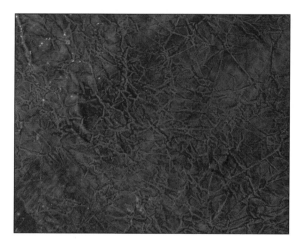

 16

Vaya colocando el resto de los papeles de la misma manera, solapando los bordes para que no queden intersticios sin cubrir, y alternando los colores siena y sombra.

 17

Cuando haya revestido la totalidad del muro, aplique unos toques de pátina marrón antiguo sirviéndose de un pincel.

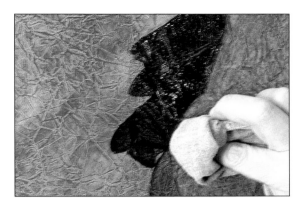

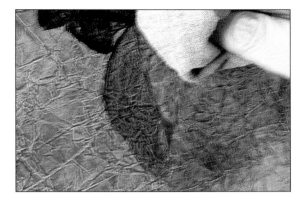

 **18**

La pátina se extiende inmediatamente con un trapo y, al resaltar el aspecto texturado de la superficie, oscureciéndolo ...

 19

... produce un agradable efecto de envejecido.

Paso a paso

Esta técnica pictórica se inspira en el esgrafiado que se ha venido utilizando durante siglos en la ornamentación de fachadas.

El efecto decorativo se obtiene al superponer dos capas en colores contrastados y retirar partes de la última capa siguiendo un dibujo previo, lo cual deja entrever el color de la base.

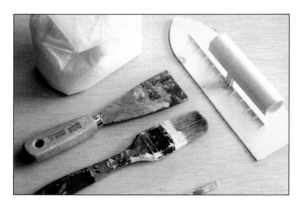

Para aplicar este procedimiento, se necesita
· *pasta niveladora o pintura de relieve*
· *llana de plástico o espátula*
· *paletina*
· *lápiz con goma incorporada*

Consejos

Con la técnica del esgrafiado pueden conseguirse efectos muy interesantes: desde acabados minimalistas hasta atrevidas combinaciones de colores y líneas. No en vano, es un recurso muy utilizado también en la pintura artística. Si desea obtener trazos más anchos que los que le proporciona el lápiz, utilice un trozo de cartón grueso para retirar la capa de pasta niveladora. Pruebe asimismo a aplicar otro color de base, teniendo presente que debe contrastar con el de la capa superficial.

 1

Sobre una pared pintada en negro, aplique la pasta niveladora con una paletina. En este caso, el motivo gana interés gracias a un fuerte contraste entre blanco y negro. No obstante, si lo prefiere, puede colorear la pasta niveladora con tinte o pigmento en polvo.

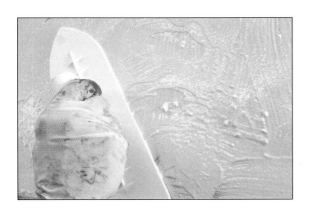

 2

Pase la llana de plástico sobre la pasta húmeda, dejando una superficie con trazas, de aspecto algo rústico. Según el grosor de la capa aplicada, tendrá que esperar unos minutos, para que la pasta empiece a fraguar, antes de proceder con el trazado del dibujo.

 3

Coja el lápiz y dibuje sobre la superficie blanda con la goma que éste tiene en el extremo.
El dibujo debe ser de línea, como el que le proponemos aquí, y preferiblemente sencillo.

 4

La goma retira la capa de pasta niveladora y deja ver el color del fondo, formando el dibujo —en este caso, escritura china—.

Paso a paso

25. Muros en *découpage*

El origen de esta técnica decorativa se puede encontrar en las estampas y grabados con que las familias humildes, que no podían permitirse los cuadros al óleo, decoraban antiguamente sus hogares. Aún hoy se consiguen resultados muy decorativos con este procedimiento.

Gracias a las múltiples capas de barniz que lo recubren, el *découpage* no es un acabado tan delicado como aparenta.

Deberá reunir los siguientes materiales
- fotocopias en blanco y negro de los motivos elegidos
- cola blanca, barniz incoloro al agua
- tijeras, llana, paletina, pincel, pátina marrón antiguo
- trapo para extender la pátina

Consejos

Parte de su gracia estriba en saber elegir correctamente los motivos, entre las muchas fuentes que tenemos a disposición: cromos, estampas, grabados antiguos, etcétera. Para un acabado realmente liso y suave, es imprescindible lijar el barniz. No obstante, evite lijar las primeras capas, ya que podría dañar las fotocopias; hágalo cada seis capas, con un poco de lana de acero. Si lo desea, antes de aplicarles barniz puede colorear las fotocopias con un poco de acuarela.

El primer paso consiste en aplicar una capa de barniz incoloro sobre las fotocopias para fijar la tinta.

 2

Si prefiere que adquieran una coloración algo amarillenta, puede sustituir el barniz por goma laca.

 3

Recorte los motivos —en este caso, hojas de geranio y mariposas— con unas tijeras finas.

 4

Aplique la cola blanca y pegue los motivos recortados sobre la pared.

 5

Ésta debe estar pintada con pintura plástica satinada blanca.

Paso a paso

 6

Alise la superficie con la llana de plástico. Aquí es preferible no utilizar llanas metálicas, ya que desgarran el papel con mucha facilidad.

 7

Aplique pequeñas cantidades de pátina marrón antiguo con el pincel. En su defecto puede sustituir la pátina por betún de Judea, obtendrá resultados parecidos.

 8

Extienda la pátina inmediatamente con la ayuda de un trapo.

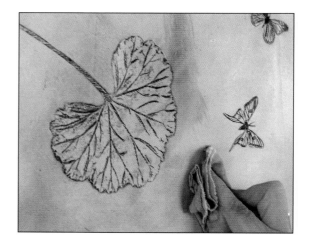

 9

Difumínela, para obtener una apariencia nubosa, hasta cubrir la superficie.

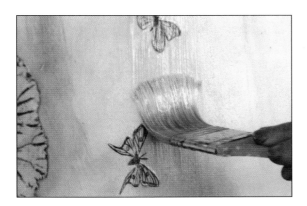

 10

Cuando el aspecto de la pátina sea de su agrado, ya puede proceder al barnizado. Es conveniente aplicar bastantes capas de barniz, siempre dejando secar totalmente una capa antes de aplicar la siguiente.

11

De este modo, el grosor de las fotocopias llegará a resultar imperceptible.

Paso a paso _____ 26. Óxido de hierro

Con la técnica que le proponemos a continuación se consigue reproducir de forma muy realista el aspecto de una placa oxidada, sin que, por supuesto, el acabado sea frágil o perecedero como el del original que se intenta imitar.

Resulta incluso anecdótico que el fondo para llevar a cabo este procedimiento sea una pared pintada con esmalte metálico anticorrosivo.

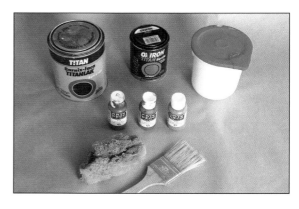

Para llevar a cabo esta técnica necesitará
· *esmalte metálico anticorrosivo negro forja*
· *veladura al agua teñida en los tonos: marrón chocolate, óxido rojo, ocre dorado*
· *esponja, paletina, barniz satinado*

Consejos

En este acabado se ha aplicado una veladura al agua sobre un fondo esmaltado. Este hecho puede provocar unas manchas características que, en otros casos, supondrían un inconveniente, pero que, en éste, se aprovechan cara al efecto que se desea obtener.

El aspecto final de la pared consigue engañar a los ojos más expertos.

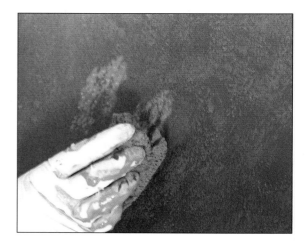

Sobre un fondo en esmalte metálico color negro forja, aplique una primera veladura mediante esponjado, mezclando los colores ocre y marrón chocolate.

 2

A continuación, aplique una segunda veladura en color marrón chocolate.

 3

Y por último aplique la tercera veladura en color óxido rojo.

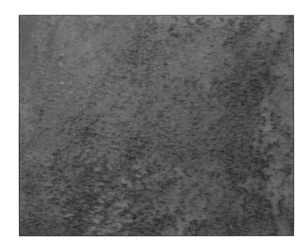

 4

Utilice la misma esponja y no se moleste en lavarla, ya que el color de los diferentes esponjados debe acabar fundiéndose y formando manchas difusas de color.

 5

En las superficies oxidadas pueden encontrarse de forma esporádica manchas debidas al goteo.

Paso a paso

Éstas se pueden imitar pulverizando un poco de agua sobre la veladura húmeda e, inmediatamente, con la esponja, frenando el goteo y matizando las marcas que se han generado.

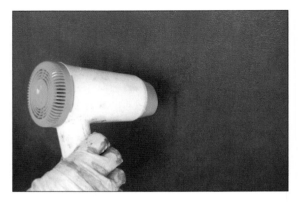

Puede utilizar un secador de mano para evitar que después gotee el agua.

Tenga siempre cerca de usted alguna muestra de hierro oxidado, para imitar su aspecto y color de la forma más naturalista posible.

Como en otras técnicas que imitan materiales diversos, los mejores resultados se consiguen después de un atento estudio de su textura y gama cromática.

 10

Cuando el resultado sea totalmente de su agrado, aplique una capa de barniz satinado para finalizar.

 11

Sólo por el tacto cálido de la pared se puede determinar que el material del que está hecha no es precisamente el metal.

Paso a paso

27. Piedra de fantasía

Este acabado se inspira en el veteado de ciertas piedras y admite múltiples combinaciones de color. En este caso, para enfatizar la sencillez del trazo, hemos optado por dibujar vetas blancas sobre fondo negro.

El acabado es elegante, a la vez que vistoso, y se presta para decorar las paredes de los baños, ya que el barniz protege e impermeabiliza la superficie.

Materiales necesarios
· esmalte satinado negro
· barniz brillante
· veladura al agua blanca
· paletina, pluma de ganso

Consejos

La misma técnica puede aplicarse a objetos como cajas, bandejas o muebles auxiliares, produciendo efectos muy decorativos. En todos los casos debe emplear plumas de ganso, que se comercializan especialmente para realizar acabados decorativos con pintura, ya que las de gallina u otras aves no producen el mismo resultado.

 1

Prepare la veladura al agua blanca y viértala en un plato o recipiente ancho. Moje la pluma de ganso en la veladura procurando que se empape de forma homogénea; para ello es aconsejable cargarla de pintura con la ayuda de un pincel.
El pincel también le servirá para agrupar en mechones los filamentos de la pluma. De este modo, el trazo que se formará será múltiple.

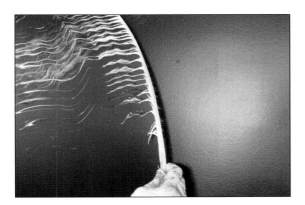

2

Trace líneas sinuosas sobre la pared negra con la pluma puesta de perfil y sin apenas presionar.

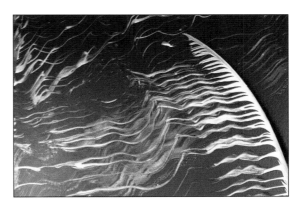

3

Las líneas blancas parecen excesivamente transparentes en un principio, pero tenga en cuenta que, una vez que la superficie se haya barnizado, subirán de tono. No es conveniente, pues, cargar las tintas.

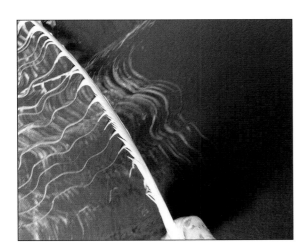

4

Siempre con movimientos ondulantes, algo aleatorios, trace ahora líneas que se entrecrucen con las anteriores.

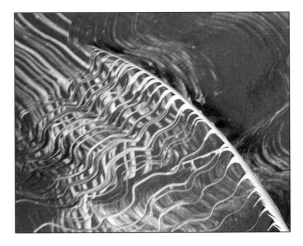

5

De vez en cuando, si desea crear un efecto de torbellino, deténgase más en determinados puntos del trazado.

Paso a paso

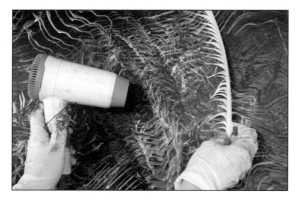

 6

Utilice el secador para acelerar el secado de la veladura...

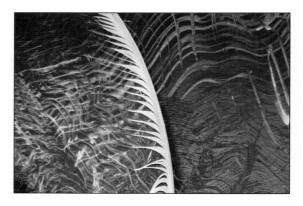

 7

... y poder controlar así los posibles efectos del goteo.

 8

Una vez dé por finalizado el veteado de la piedra de fantasía, deje secar completamente la veladura.

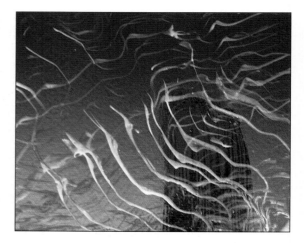

 9

A continuación, aplique una capa de barniz brillante sobre la superficie, dando pinceladas en varias direcciones para que sean menos visibles.

 10

Este procedimiento puede resultar un poco entretenido, pero en ningún caso difícil de llevar a cabo.

 11

El acabado es elegante, a la vez que vistoso, y se presta para decorar las paredes de los baños, ya que el barniz protege e impermeabiliza la superficie.

Paso a paso _____ # 28. Pared rústica

Bajo este nombre genérico se esconde un acabado consistente en aplicar una aguada de color sobre un fondo irregular.

El relieve de la base, subrayado por la aplicación del color, da lugar a una textura muy interesante, más o menos acentuada según cual sea el grosor del enlucido que hayamos aplicado.

Materiales necesarios
· *pasta niveladora para enlucidos, barniz mate al agua*
· *veladura al agua en color almagre*
· *paletina, llana*
· *trapo de algodón*

Consejos

Controlando de forma precisa la aplicación de la pasta niveladora, se puede incrementar el efecto rústico de éste procedimiento o, por el contrario, hacer que éste sea muy sutil. Como todos los acabados que presentan un relieve irregular, puede utilizarse como un recurso excelente para decorar aquellas paredes que difícilmente podrían conseguir el acabado liso que otros procedimientos requieren.

 1

La pared sobre la que trabajaremos deberá estar pintada con pintura plástica satinada color crema. Sobre una base así preparada, aplique una capa de pasta niveladora (la utilizada para enlucir y preparar las superficies antes de pintar) con la ayuda de una paletina. La pasta no debe cubrir la totalidad de la pared, sino que se deben dejar algunos huecos, de forma aleatoria, sin recubrir.

 2

Extienda la pasta con una llana. A la vez que la extiende, dele también un cierto relieve, a su gusto, separando de vez en cuando la llana de la pared.

 3

Este movimiento formará unas "crestas" sobre la pasta húmeda, que se verán luego acentuadas por la aplicación de la veladura.

 4

Deje secar completamente el enlucido, teniendo en cuenta que las zonas más gruesas requieren algo más de tiempo.

 5

Una vez seco, barnice la superficie con barniz acrílico mate.

Paso a paso

 6

A continuación, cuando el barniz esté bien seco, aplique la veladura almagre con la paletina.

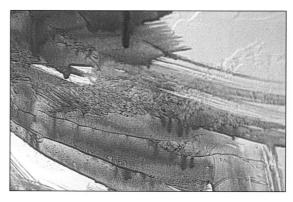

 7

Esta veladura debe tener una consistencia bastante líquida, pero nunca hasta el punto de que llegue a gotear.

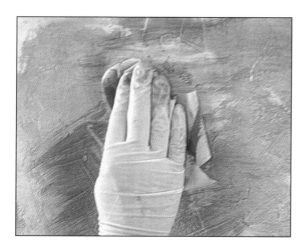

 8

Inmediatamente, con la veladura húmeda, frote la superficie con un trapo de algodón.

 9

De esta manera, la veladura se extiende y, dada la rugosidad de la base, se deposita de modo desigual, haciendo resaltar los relieves de la capa de enlucido.

 10

Elimine completamente la veladura en algunas de las zonas sin enlucir, para dejar ver el tono crema de la base.

 11

Se crea así un hermoso contraste con el almagre.

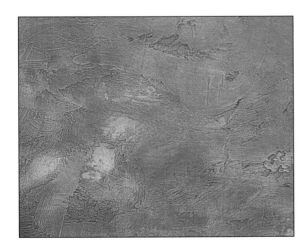

 12

El color almagre, junto con el siena, el albero, el añil o el ocre, forma parte de la paleta de colores mediterránea que combinan a la perfección con la rusticidad de este acabado.

Paso a paso

Tanto por el aspecto dinámico de la pincelada como por la intensidad del color, la técnica del pincel seco confiere a las paredes una gran peso visual, hecho que simplifica en gran medida la tarea de decorar. Pocos elementos serán ya precisos en la habitación para que ésta tenga un aspecto impactante.

Material necesario
· *pintura blanca, esmalte acrílico azul*
· *veladura al agua, veladura al aceite*
· *pintura al óleo color sombra natural*
· *barniz acrílico mate*

Consejos

Los tonos "sucios", como el azul que le proponemos, están de plena actualidad.

Si estas tonalidades le agradan, pero le parecen demasiado oscuras para pintar una habitación entera, aplíquelas sólo a una de las paredes, o a una zona delimitada que considere adecuada.

 1

La superficie sobre la que se va a trabajar deberá presentar un aspecto bien liso y suave. Dele, en primer lugar, un acabado uniforme con el esmalte acrílico en color azul cobalto oscuro.

Una vez que el esmalte esté seco, aplíquele una capa de barniz acrílico
mate. Esto hará que la superficie esté más resbaladiza y que la veladura que
aplicaremos a continuación se deslice con mayor facilidad.

La veladura al agua, preparada con la pintura blanca, deberá aplicarse en
pequeñas cantidades, con la paletina prácticamente seca. Para ello, una vez
mojada la paletina, deberá escurrirla muy bien con la ayuda de un trapo.

Dé pinceladas cortas y decididas, en todas direcciones, creando de este modo
una superficie llena de fuerza y dinamismo.

Deje secar la veladura.

Paso a paso

 6

A continuación, con un trozo de papel de lija de grano grueso, frote ligeramente toda la pared, siguiendo la dirección de las pinceladas, con el fin de acentuarlas.

 7

Retire cualquier resto de polvo que hubiera podido ocasionar el lijado.

 8

Seguidamente, prepare una veladura al aceite, en color sombra natural. Aplique esta veladura con un trapo de algodón bien limpio, mojando directamente del bote.

 9

Extienda la veladura sombra natural por toda la superficie, frotando con el trapo.

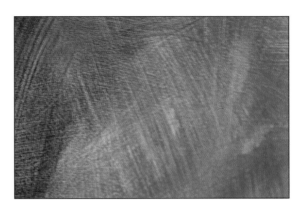

 10

Además de modificar así el tono y la sensación de profundidad, la aplicación final de una veladura al óleo proporciona también a este acabado el aspecto satinado tan típico de los medios al aceite.

 11

El resultado final demuestra que la pintura de paredes no se diferencia a veces demasiado de la pintura artística.

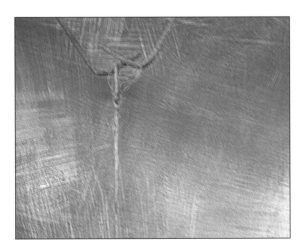

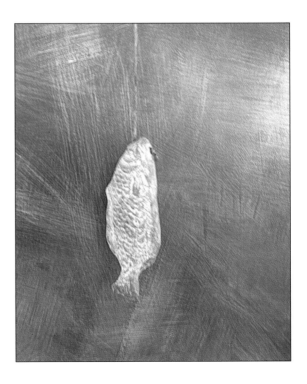

 12

La fuerza que tiene este acabado puede quedar especialmente subrayada si se combina con piezas de mobiliario contemporáneo, o si forma parte de decorados minimalistas.

Paso a paso

La piedra natural es un material de construcción hoy en día prácticamente desterrado de nuestras viviendas. Precisamente, por su antiguo uso en castillos y casas señoriales, los interiores decorados con piedra tienen algo del aire medieval y sobrio de esas edificaciones. Aquí le proponemos una manera sencilla de imitar la piedra, especialmente adecuada para la decoración de casas rurales.

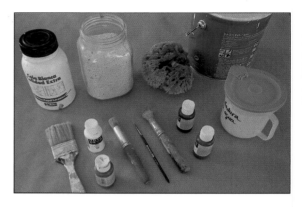

Materiales necesarios para llevarlo a cabo
· *pintura plástica blanca, arena fina, de tonalidad muy clara, cola*
· *veladura al agua*
· *pinturas acrílicas en las tonalidades: sombra, verde, negro y blanco*
· *paletina, esponja, pinceles de estarcir, pincel fino para perfilar*

Consejos

Pruebe a aplicar esta técnica también sobre objetos tridimensionales, como jarrones grandes, maceteros o elementos ornamentales de jardín, incluso piezas de plástico de aspecto sencillo y barato. Su cambio será tan radical que no parecerán los mismos.

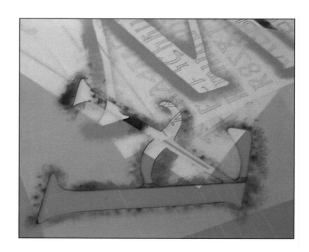

 1

Hemos acentuado el carácter medieval de este acabado con un estarcido que imita en nuestro caso, unas letras grabadas sobre la piedra, aunque cualquier otro motivo de cifras romanas, nudos célticos o relieves geométricos sería igualmente válido y de gran efecto.

Para realizar dicho estarcido necesitaremos:

· láminas de papel poliéster
· fotocopias ampliadas del original que deseemos reproducir
· rotulador
· tijeras pequeñas, cúter

En primer lugar, mezcle la arena con la pintura plástica blanca y la cola. La consistencia final de dicha mezcla debe ser bastante espesa, para que no gotee y no se desprenda la arena una vez seca.

Aplique esta mezcla en una capa gruesa sobre la pared, con ayuda de una paletina. Dado que este preparado es espeso y muy cubriente, llega a disimular perfectamente alguna pequeña irregularidad o grieta que pudiera haber en la pared.

A continuación, y mientras se está secando la superficie, prepare cuatro veladuras al agua, en el modo acostumbrado, con los cuatro colores acrílicos antes mencionados.

Paso a paso

 6

En primer lugar, y cuando ya está bien seca la base, se aplica la veladura color sombra mediante la técnica del esponjado.

 7

En segundo lugar, siempre con la esponja, se aplican ligeros toques de veladura verde. Este color incrementará el aspecto envejecido del muro.

 8

Para acentuar el aspecto poroso de la piedra, se realiza un esponjado suave con la veladura negra, teniendo siempre presente el aspecto que ofrece la piedra auténtica e intentando, si es posible, copiarlo del natural.

 9

Y por último, un esponjado en tono blanco acabará de otorgar a la superficie el relieve característico de la piedra.

10

El siguiente paso consiste en grabar una inscripción sobre la imitación de piedra. Para ello, en lugar de martillo y cincel, recurriremos a las plantillas elaboradas con papel poliéster, mucho más fáciles y seguras de usar.

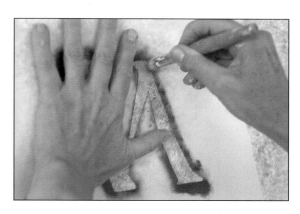

11

El estarcido se realiza con el pincel redondo, especial para estarcir, y con pintura acrílica en tonos sombra. Escurra siempre muy bien el pincel sobre un trozo de trapo o papel de cocina, antes de pintar los motivos.

12

Con el pincel fino y la misma tonalidad de pintura, perfile la letra para acentuar su relieve.
Esta técnica tiene como resultado una pared rugosa, de aspecto cálido, que entona especialmente con las edificaciones rústicas.

Paso a paso   31. Dorado con guirnaldas

Como todos los procedimientos decorativos que emplean el dorado, esta técnica da lugar a un acabado cálido y suntuoso, con unos matices que evocan el que sin duda ha sido el metal más preciado por el hombre a lo largo de la historia. Frente a otros procedimientos mucho más complejos y costosos, como la aplicación de pan de oro, la técnica que le proponemos resulta igualmente espectacular, pero mucho más accesible.

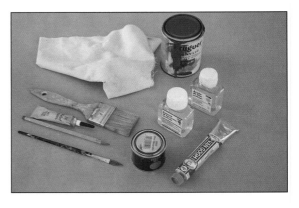

Los materiales necesarios son los siguientes

· *esmaltes en color rojo óxido, oro amarillo, veladura al óleo*
· *pintura color sombra natural, tubo de pintura en relieve color dorado*
· *paletina, pincel al bies,*
· *papel de lija*

Consejos

La técnica del dorado no tiene por qué estar ligada a un estilo de decoración clásico y recargado. Se puede utilizar este recurso con una cierta dosis de ironía, sobre las superficies más insospechadas (como las paredes de un cuarto de baño, por ejemplo) o en combinación con piezas de mobiliario de extrema sencillez, para obtener así decorados eclécticos y muy divertidos.

Para realizar las guirnaldas con que adornaremos la pared, necesitará
· *papel vegetal*
· *papel carbón*
· *lápiz*
· *fotocopias del motivo original*

En primer lugar, pinte la base con el esmalte rojo óxido. La superficie deberá estar perfectamente lisa y carecer de defectos.

Prepare una veladura al óleo, tal como se ha explicado en el apartado correspondiente, mezclando aceite de linaza, aguarrás y esmalte color oro amarillo.

Aplique dicha veladura sobre la base roja, mediante trazos verticales. La consistencia ligera de la veladura forma unas estrías por las que se entrevé el color del fondo.

Deje secar completamente la veladura dorada.

Paso a paso

Seguidamente, y para resaltar las estrías que se han dibujado sobre la pared, frote ligeramente con un papel de lija de grano grueso...

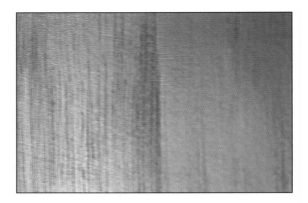

...siguiendo la pincelada hasta el punto que sea más de su agrado.

En este momento, la pared dorada presenta un rayado ligero y algo irregular.

Este es el acabado que podríamos aplicar con igual éxito también a marcos, pequeño mobiliario u otro tipo de piezas decorativas.

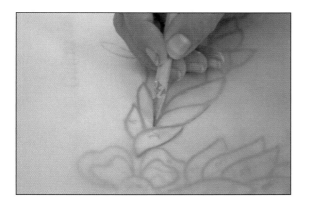

 10

En nuestro caso concreto, adornaremos la pared dorada con una guirnalda en la misma tonalidad.

 11

Para ello, se calca sobre una lámina de papel vegetal el dibujo obtenido fotocopiando un original a la escala conveniente.

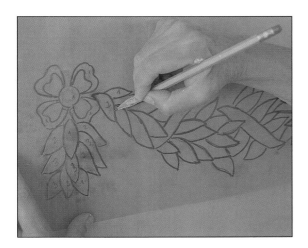

 12

Con una hoja de papel carbón, copie dicho dibujo sobre la pared repasando las líneas con un lápiz...

 13

... y ejerciendo la presión indispensable para que las marcas del papel carbón resulten visibles.

Paso a paso

 14

Empleando el papel carbón, se pueden copiar sobre la pared los dibujos más elaborados…

 15

…sin necesidad de saber dibujar y con la seguridad de que las proporciones no se verán alteradas.

 16

Una vez haya copiado completamente el dibujo de la guirnalda, tome la pintura en relieve y repase las líneas marcadas.

 17

Esta pintura resulta muy cómoda de utilizar, ya que se comercializa en un tubo aplicador.

 18

Por último, sombree las hojas y flores de la guirnalda con veladura sombra natural y un pincel al bies. Dado que el contorno presenta un ligero relieve, le resultará muy fácil evitar que este relleno sobrepase los márgenes.

Las paredes decoradas en tonos oro reflejan la luz de manera muy cálida y sensual.

Si a usted le agrada la iluminación de las velas y la suntuosidad que se respira en los ambientes neobarrocos, no dude en poner en práctica esta técnica decorativa.

En los muros antiguos, encalados y sometidos a desgaste, la capa del encalado se volvía progresivamente más fina, hasta llegar a desaparecer en algunas zonas y dejar al descubierto la base sobre la que había sido aplicada. Con esta técnica le invitamos a envejecer sus paredes, imitando el aspecto de aquellos viejos muros encalados, sin que desde luego sea necesario esperar años y años a que este efecto se produzca.

El material necesario para llevar esta propuesta es el siguiente
· *esmalte satinado rojo óxido*
· *pintura blanca mate*
· *alcohol*
· *paletina, trapo de algodón*

Consejos

Los acabados que envejecen de manera artificial los muebles o las paredes, como en nuestro caso, están de plena actualidad, ya que restan frialdad a los ambientes contemporáneos. Es por ello que este tipo de procesos se combina a la perfección con elementos decorativos de diseño ultramoderno y con materiales fríos, como pueden ser el metal o el vidrio.

Para realizarla necesitará, además del material ya mencionado
· *plantilla de estarcir*
· *pintura acrílica en color rojo óxido*
· *dos pinceles de estarcir*
· *un rollo de papel de cocina*

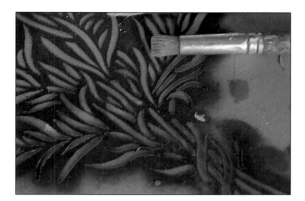

 2

Una sencilla decoración a base de estarcidos dará a esta pared un toque campestre.

 3

En primer lugar, prepare la superficie con una capa de esmalte satinado en color rojo óxido.

 4

Deje que la pintura se seque completamente antes de aplicar la pintura blanca encima.

 5

Es muy importante que la pintura blanca se aplique en capas delgadas, con la paletina prácticamente escurrida. Para ello, una vez la haya mojado en la pintura, escúrrala a conciencia sobre una tabla de madera.

Paso a paso

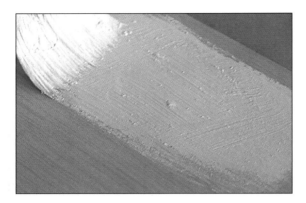

 6

De este modo, además de escurrida, la pintura queda repartida de forma totalmente homogenea entre las cerdas de la paletina.

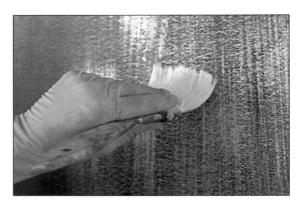

 7

Empiece a pintar con pinceladas verticales y con la paletina siempre muy seca.

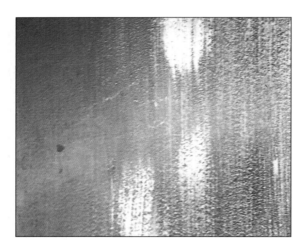

 8

El color rojo óxido de la base debe quedar prácticamente cubierto por la pintura blanca mate.

 9

De vez en cuando, para repartir mejor la pintura y obtener un resultado más casual, dé algún trazo perpendicular, cruzando las pinceladas anteriores.

 10

Cubra en este modo la totalidad de la pared y deje que la pintura se seque.

 11

El siguiente paso consiste en eliminar o borrar parte de la pintura blanca mate con la que habremos prácticamente ocultado el color rojo. Con un trapo de algodón y un poco de alcohol etílico, frote la superficie, formando manchas por donde asome el color de la base.

 12

La disposición de las manchas, así como su tamaño, no debe ser regular.

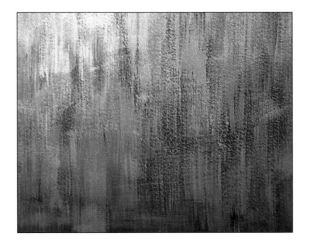

 13

Si el aspecto de las manchas le parece demasiado artificioso, o si desea hacer alguna corrección, puede perfectamente pintar de nuevo encima de éstas con la pintura blanca mate...

Paso a paso

 14

...manteniendo la paletina casi seca, hasta que adquieran un aire más natural. Puede repetir este proceso tantas veces como sea necesario.

 15

Cuando esté satisfecho con el aspecto de la pared, puede proceder a decorarla con el estarcido. Coloque la plantilla en el lugar deseado y pinte el motivo sobre la pared con la pintura acrílica color rojo óxido.

 16

Es preferible que el motivo elegido sea sencillo y, en cualquier caso, de un solo color, igual al de la base.

 17

A continuación, con la misma pintura rojo óxido y a mano alzada, perfile y retoque el dibujo.

 18

Por último, frote ligeramente con un papel de lija tanto el estarcido como el resto de la pared, si es necesario, para acentuar el aspecto envejecido que este acabado pretende.

 19

Este es el aspecto que presenta la pared decorada con esta técnica. El efecto resultante es equiparable al que se obtiene mediante el decapado de los muebles, ya que se dejan a la vista las trazas que han dejado los años (y las sucesivas intervenciones decorativas) sobre las superficies.

Paso a paso

La cal es uno de los materiales de revestimiento de fachadas más populares en el sur de Europa. Su blancura, deslumbrante con el sol meridional, contribuye a dar un poco de frescura a las viviendas andaluzas, mallorquinas o griegas. Sin embargo, por su bajo coste y la calidad de su acabado, es también una alternativa muy interesante en los revestimientos de interiores. En el siguiente ejemplo, hemos teñido la cal con uno de los colores con el cual parece tener mejor afinidad: el azulete.

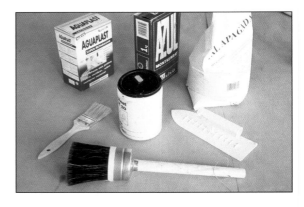

Para elaborar una veladura a la cal en tono azul, necesitará
- *cal apagada, látex, azulete*
- *pasta niveladora*
- *llana de plástico*
- *brocha y paletina.*

Consejos

El color de esta veladura disminuye mucho de intensidad cuando se seca, por lo que puede resultar difícil predecir con acierto cuál será el tono final. En estos casos, resulta muy práctico disponer de tablones de madera o cartón sobre los que realizar pruebas de color y evaluarlas una vez secas para poder corregir las proporciones de pigmento y cal.

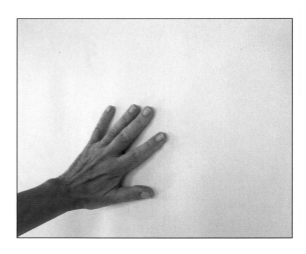

 1

El resultado obtenido con esta técnica dependerá en gran medida de las características de la base sobre la que aplique. Una pared lisa dará lugar a una superficie más fina, de tacto parecido a la cáscara de huevo, mientras que...

2

...una pared rugosa o irregular dará lugar a un acabado rústico, propio de las viejas casas de pueblo. Este tipo de superficie puede ser imitada sin dificultad, en caso de que nuestras paredes sean demasiado lisas para nuestro gusto, obrando de la siguiente manera:

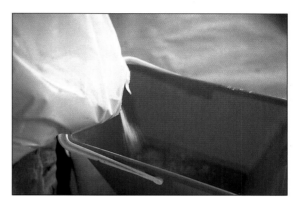

3

Diluya la pasta niveladora en agua, deshaciendo todos los grumos que puedan formarse, hasta obtener una consistencia elástica.

4

La pasta no debe gotear en la pared, pero debe ser lo bastante líquida como para poderse extender con la paletina.

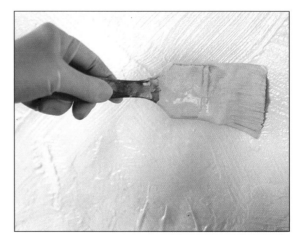

5

Recubra la pared con este preparado evitando aplicar capas muy gruesas, ya que éstas, al secarse, podrían cuartearse muy fácilmente.

Paso a paso

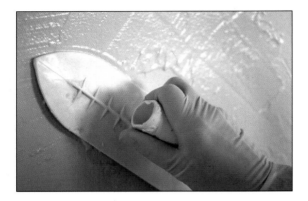

 6

Inmediatamente, extienda la pasta niveladora con la llana de plástico. Los ángulos redondeados de esta herramienta hacen imposible que se raye la superficie, cosa que puede resultar muy enojosa cuando se emplean llanas u otras herramientas metálicas.

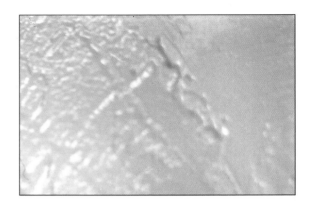

 7

Mientras extiende la pasta, vaya dándole el relieve deseado.

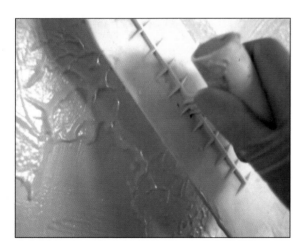

 8

Separando la llana de la pared, se obtienen relieves parecidos a crestas o pequeñas cordilleras.

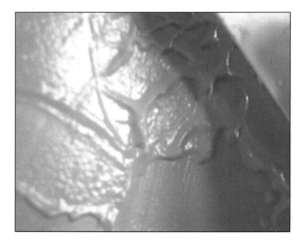

 9

No tenga reparos en ir probando, ya que, sobre la pasta húmeda, puede realizar cuantas modificaciones considere necesarias hasta que el resultado sea de su gusto.

 10

Para preparar la veladura a la cal, mezcle aproximadamente 2 partes de agua, 1 de látex y 1 de cal apagada.

 11

Añada a continuación el azulete en polvo y bata un poco la mezcla.

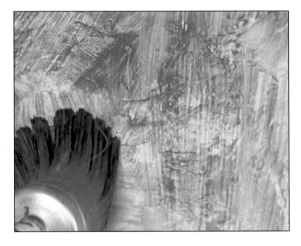

 12

La manera tradicional, además de la más adecuada y rápida, de aplicar la pintura a la cal es con una brocha bien gruesa.

 13

Dado que el soporte es algo poroso y que es conveniente recubrirlo generosamente, esta brocha le permitirá cargar la cantidad necesaria de veladura sin tener que ir mojándola a cada momento.

Paso a paso

 14

En muy poco tiempo habrá recubierto de color una superficie muy amplia.

 15

No se preocupe demasiado si en un primer momento los brochazos son muy evidentes.

 16

Mientras la veladura a la cal está húmeda, el azul resulta mucho más intenso de lo que hay que esperar.

 17

A medida que se evapora el agua, el color pierde saturación.

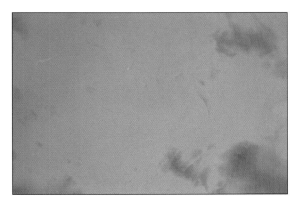

 18

 19

Progresivamente, la pared va adquiriendo la tonalidad celeste que habíamos previsto. La veladura a la cal tiene el irresistible encanto de la simplicidad. No en vano, es uno de los procedimientos más rápidos y económicos entre los propuestos en este libro.

No obstante, recuerde que la veladura a la cal adolece de cierta fragilidad y tendencia a descascarillarse. Por esto último, se desaconseja su uso en ambientes con mucho desgaste.

4. Glosario

4. Glosario

Acabado:

Aspecto de la superficie que hace referencia al modo en que ésta refleja la luz.

Clasificación: brillante, cuando se produce una reflexión especular de los rayos luminosos; mate, cuando éstos son disgregados en todas direcciones, y satinado, cuando el efecto producido se sitúa entre los dos anteriores.

Aceite de linaza:

Derivado de la semilla de lino, es el diluyente más empleado en la pintura al óleo.

Este aceite secante sufre una transformación química que hace que, una vez aplicado, al combinarse con el oxígeno del aire, se endurezca y forme una película sumamente dura en la que se hallan atrapadas las partículas de color.

Acuarela:

Técnica artística en que los colores se aplican en capas finísimas creando un efecto diáfano.

Los colores de acuarela se fabrican con goma arábiga u otros pegamentos solubles en el agua y pigmentos de grano muy fino, y acostumbran a presentarse en forma de pocillos o en tubos.

Aglutinante:

Sustancia pegajosa, presente en la composición de la mayoría de las pinturas. Tiene la función de adherir el pigmento al soporte una vez que se ha secado el disolvente (el agua, en el caso de la pintura plástica). Puede ser de origen orgánico o sintético.

Azotado:

Técnica que consiste en golpear la veladura húmeda con el correspondiente pincel de crin, para que aquélla se desplace formando surcos y deje entrever la base.

Barniz:

Es una pintura no pigmentada, adecuada para proteger la superficie pintada y conferirle mayor resistencia.

Los barnices más utilizados están compuestos por una disolución de resinas combinadas con aceite y presentan diversos acabados: brillante, mate, satinado.

Pueden teñirse con pinturas al óleo o tintes universales.

Base:

Componente principal de las pinturas y veladuras que hace que se diferencien los procedimientos según si ésta es al agua o al aceite.

No pueden mezclarse sustancias o pinturas con base distinta, ya que agua y aceite no se disuelven.

Brocha:

Herramienta para pintar, formada por un manojo de cerdas sujetas a un mango por una pieza metálica llamada virola.

Las brochas tienen sección circular y se clasifican según su diámetro. Se suele emplear este término como genérico para denominar también otras herramientas parecidas.

Caseína:

Sustancia albuminoidea de la leche, empleada durante siglos como emulsión o aglutinante natural y actualmente en desuso por su alterabilidad.

Celosía:

Entramado de listones de madera cuya función original es la de preservar la intimidad en ventanas, balcones u otras aberturas de la vivienda hacia el exterior.

También tiene una función ornamental; se emplea en la construcción de cenadores al aire libre y como soporte para las plantas trepadoras.

Cenefa:

También llamada greca, es una franja ornamental que consiste en la repetición de un mismo motivo y que se emplea para decorar muros o para bordear alfombras o tejidos.

Cera:

Producto natural que se emplea normalmente como alternativa al barniz en el acabado de superficies.

La aplicación de la cera produce un acabado, en principio mate, que adquiere un suave brillo al frotarse con un trapo.

Cola animal:

Aglutinante de origen orgánico, obtenido de la cocción de huesos o desperdicios de animales y muy utilizado en la pintura artística antes de la aparición de otros productos sintéticos.

Una de las colas animales más finas es la obtenida con piel de conejo.

Color:

Impresión visual producida cuando la luz incide sobre una superficie.

La percepción del color depende de factores intrínsecos a la superficie en cuestión, de la calidad de la luz que la ilumina, así como de la particular sensibilidad del observador.

Colorante:

Nombre genérico con el que se denominan todas las sustancias que tienen la propiedad de dar color a un determinado material.

Los colorantes pueden clasificarse, según su origen, como minerales, vegetales, animales o sintéticos.

Estos últimos no aparecieron hasta mediados del siglo XIX.

Desleír:

Hacer que una sustancia sólida, ya sea en forma de polvo o pasta, se disgregue en un medio líquido para que sus partículas se repartan de forma homogénea.

Difuminar:

Hacer desvanecer los trazos de una pincelada o esfumar su color, de manera que éste vaya perdiendo intensidad de un modo gradual.

El difuminado, según la técnica empleada, puede obtenerse con herramientas especiales o con pinceles de pelo muy suave.

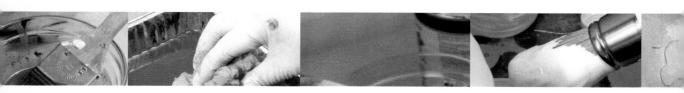

Diluyente:

Medio incoloro en el que el pigmento alcanza el estado de consistencia adecuado para ser aplicado.

Las pinturas, una vez preparadas, pueden diluirse ulteriormente, para conferirles mayor fluidez.

Disolvente:

Es el componente volátil de la pintura, capaz de disolver las combinaciones (orgánicas o inorgánicas) que constituyen los aglutinantes.

Por ejemplo, el aguarrás en los procesos con base de aceite.

Dispersión:

Estado en que el medio (ya sea acuoso o al aceite) vehícula el pigmento en polvo.

Las minúsculas partículas que constituyen el pigmento no llegan a disolverse químicamente, tal como lo haría la sal en un medio acuoso, sino que quedan repartidas de manera uniforme, resultando visibles al microscopio.

Drapeado:

Técnica que consiste en golpear la veladura húmeda con trapos arrugados a modo de tampón para obtener así un estampado característico, que va variando al arrugarse el trapo de diferente manera.

Enlucir:

Revestir las paredes con mortero fino o yeso con el fin de conseguir superficies lisas. Una pared enlucida requiere ser sellada antes de poderse pintar.

Esgrafiado:

Técnica muy empleada en la ornamentación de fachadas que consiste en revestir con cal una última capa de mortero teñido, para cortar el encalado posteriormente según las líneas del dibujo y obtener así un efecto de relieve en dos colores.

Por su parecido, se aplica este término también a las técnicas pictóricas que superponen dos capas de distinto color y, después de rascar parte de la pintura con alguna herramienta dura, dejan entrever el color de fondo.

Emulsión:

Compuesto de dos líquidos no miscibles, en el que uno de ellos se halla disperso en forma de minúsculas gotas en el otro, siendo generalmente suspensiones de un aceite en agua. Las pinturas plásticas son emulsiones.

Esmalte:

Pintura de base alquímica y acabado impermeable, muy utilizada para el revestimiento de carpintería y de superficies que requieren ser lavables y resistentes.

Los esmaltes contienen generalmente resinas de melanina, y pueden ser empleados como fondo para las veladuras al óleo.

Espátula:

Herramienta plana, generalmente metálica, que se utiliza para aplicar masilla y alisar la superficie.

Esponjado:

Técnica que utiliza esponjas marinas como herramienta para aplicar la veladura sobre la pared y decorar así la superficie con su textura característica.

Estarcido:

Técnica pictórica que emplea plantillas y pinceles especiales para estampar la superficie y reproducir repetidamente grecas o motivos variados. El dibujo se traslada de la plantilla a la superficie mediante distintas técnicas que producen característicos efectos de sombreado.

Estuco:

Revestimiento de muros que consiste en una preparación de pasta de cal apagada, polvo de mármol u otras sustancias análogas y, de modo opcional, colorantes.

La aplicación de estuco es una técnica reservada a profesionales, pero el efecto que este revestimiento produce se puede imitar de un modo muy convincente mediante la pintura decorativa.

Fondo:

Término con el que se denominada la capa de pintura sobre la cual se aplica la veladura.

El fondo adecuado para la veladura al agua es la pintura plástica satinada; el fondo para la veladura al aceite puede ser tanto pintura plástica satinada como esmalte.

Fresco:

Técnica pictórica en la cual el color se aplica sobre un revoque de cal húmedo. Al evaporarse el agua, la cal forma una película dura y cristalina de carbonato de calcio, que hace insolubles los colores.

Guache:

Colores a la cola, de composición análoga a las acuarelas pero con el añadido de creta, lo cual los hace más cubrientes y opacos.

Granito:

Roca de tonalidad gris oscuro, muy utilizada en construcción por su abundancia y resistencia, compuesta de cuarzo, feldespato y mica.

Imprimación:

Primera mano de pintura o selladora que tiene como función preparar la superficie para restarle porosidad.

Látex:

Aglutinante de origen vegetal que se emplea comúnmente en las pinturas y compuestos con base acuosa.

Está compuesto de agua, resinas, proteínas y otras sustancias en estado de fina emulsión.

Lija:

Papel especial, recubierto de partículas duras, que se utiliza para alisar superficies, ya sea para eliminar imperfecciones y prepararlas para pintar, o bien para que resulten suaves al tacto, después de barnizadas. El grosor del grano determina la finura del acabado.

Luz:

Fenómeno físico, natural o artificial, que hace visibles los objetos.

La calidad de la luz que incide sobre una superficie determinará la percepción de su color, mientras que la elección de un tono más o menos luminoso para revestir la pared influirá sobre la cantidad de luz que ésta va a reflejar.

Mármol:

Piedra caliza muy utilizada en arquitectura y escultura que, a menudo, presenta manchas o vetas de colores distintos, según la variedad de que se trate.

Los diferentes tipos de mármol suelen tomar su nombre de los lugares de origen.

El aspecto de este material se puede imitar con la técnica del falso mármol.

Masilla:

Pasta utilizada para el relleno de grietas y fisuras, así como para el nivelado de la superficie que hay que pintar.

La masilla se endurece al contacto con el aire, y su presentación más común es en forma de polvo.

Matizar:

Graduar con delicadeza la veladura o el color, a fin de conseguir un rasgo que aporte una cierta expresividad, aunque de manera poco perceptible.

Un color se matiza cuando se tiñe ligeramente de otro tono, sin que esa acción cambiae el nombre del color de partida.

Moiré:

Tipo de tela, generalmente de seda gruesa, que forma unas aguas de gran impacto decorativo.

Con algo de pintura y las herramientas adecuadas, se llegar a obtener un efecto similar.

Nivel de burbuja:

Herramienta recta utilizada para determinar la horizontal y la vertical perfectas.

En el nivel hay unos pequeños cilindros de cristal con líquido dentro. Cuando el nivel está bien alineado, la burbuja de aire que se forma en esos tubos se sitúa entre las dos rayas marcadas en el cristal.

Óleo:

Técnica pictórica que utiliza colores dispersos en un aceite secante, generalmente aceite de linaza.

Los colores al óleo son de secado lento, y suelen presentarse en tubos, con una extensa carta de colores. Pueden emplearse para teñir veladuras al aceite.

Paletina:

Término empleado por los profesionales para definir una brocha plana, es decir, cuyas cerdas se distribuyen en fila y no en corona.

Pátina:

Producto, generalmente de tono oscuro, cuya aplicación final imita la película que, con el paso del tiempo, se va depositando sobre una superficie.

Pigmento:

Sustancia prácticamente insoluble en disolventes y aglutinantes, que se emplea para teñir las veladuras o en la fabricación de pinturas.

Pincel:

Herramienta utilizada para pintar, consistente en un manojo de cerdas, generalmente de pelo animal o sintético, y un mango de madera.

Hay gran variedad de pinceles, con formas diferentes según el uso específico al que estén destinados. Se diferencian de las brochas en el tamaño.

Pintura plástica:

Es la más corriente a la hora de pintar paredes y techos, ya que al tener como base el agua, resulta un producto económico, inodoro y de fácil manejo.

Puede adquirirse en multitud de colores o bien teñir con materias colorantes.

El revestimiento de pintura plástica es poroso y presenta varios acabados según el brillo.

Plomada:

Pieza metálica, cilíndrica o cónica, de peso considerable que, colgada de una cuerda, sirve para determinar la vertical perfecta.

Resina:

Producto vegetal, procedente de la savia de los árboles, que ha sido muy empleado como aglutinante de la pintura.

Actualmente, en la fabricación de pinturas, se utiliza una gran variedad de resinas sintéticas, también acrílicas.

Retardador del secado:

Sustancia que alarga el tiempo de secado de las pinturas al agua, con el fin de facilitar la manipulación de la superficie en húmedo, como, por ejemplo, la glicerina o determinadas resinas.

Secativo o secante:

Sustancia que acelera el tiempo de secado del aceite de linaza para poder trabajar con este medio en unos tiempos aceptables.

Sin estos aditamentos, el aceite de linaza tarda más de una semana en secarse.

Temple:

Pinturas, generalmente muy simples y baratas, que se constituyen al mezclar un pigmento y una emulsión.

Las pinturas al temple más empleadas por los artistas a lo largo de la historia son las que utilizan el huevo o la caseína de la leche como emulsión.

Textura:

Término procedente del vocabulario textil cuyo uso se ha extendido también a la disciplina pictórica para definir ya sea el aspecto táctil de una superficie o su apariencia visual, especialmente cuando ésta no es homogénea.

Trampantojo:

Del francés trompe l'oeil (literalmente, engaño para el ojo), es la pintura mural que recrea la ilusión de una tercera dimensión, mediante la perspectiva y el modelado de la luz.

Trementina:

Aceite volátil obtenido de las coníferas que se utiliza como disolvente en la pintura al óleo.En la pintura decorativa de paredes es preferible utilizar el producto sintético, porque no tiene olor.

Veladura:

Preparación de consistencia ligera y semitransparente, normalmente pigmentada y de

secado lento, que se aplica sobre una base pintada para obtener los efectos decorativos descritos.

Se aplica también a la técnica pictórica que se ha venido utilizando durante siglos en la pintura artística, que recurre a capas sobrepuestas de veladura al óleo.

Veteado:

 Aspecto rayado propio de la madera, o que hace referencia a las venas presentes en algunas piedras y mármoles.

Este efecto se consigue con pinceles, plumas o herramientas específicas, según el material a imitar.

Yeso:

Sulfato de calcio empleado en la construcción para enlucir paredes interiores. Antes de pintar sobre una superficie de yeso, es necesaria una imprimación previa.